國家古籍整理出版專項經費資助項目

棲芬室

栖芬室藏中醫典籍精選·第三輯

秘傳常山敬齋楊先生針灸全書

題【宋】陳言　著
中國中醫科學院中醫藥信息研究所組織編纂
牛亞華◎主編　　　李素雲◎提要

北京科學技術出版社

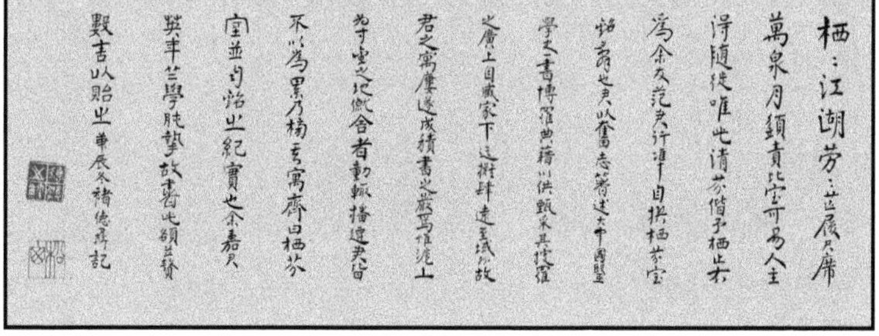

圖書在版編目（CIP）數據

栖芬室藏中醫典籍精選・第三輯．秘傳常山敬齋楊先生針灸全書/牛亞華主編．—北京：北京科學技術出版社，2018.1

ISBN 978－7－5304－9238－3

Ⅰ．①栖…　Ⅱ．①牛…　Ⅲ．①中國醫藥學—古籍—匯編②針灸學　Ⅳ．①R2-52②R245

中國版本圖書館 CIP 數據核字（2017）第213687號

栖芬室藏中醫典籍精選・第三輯．秘傳常山敬齋楊先生針灸全書

主　　編： 牛亞華
策劃編輯： 章　健　侍　偉　白世敬
責任編輯： 吕　艷　周　珊
責任印製： 張　良
出 版 人： 曾慶宇
出版發行： 北京科學技術出版社
社　　址： 北京西直門南大街16號
郵政編碼： 100035
電話傳真： 0086-10-66135495（總編室）
0086-10-66113227（發行部）　0086-10-66161952（發行部傳真）
電子信箱： bjkj@bjkjpress.com
網　　址： www.bkydw.cn
經　　銷： 新華書店
印　　刷： 虎彩印藝股份有限公司
開　　本： 787mm×1092mm　1/16
字　　數： 219千字
印　　張： 18.75
版　　次： 2018年1月第1版
印　　次： 2018年1月第1次印刷
ISBN 978－7－5304－9238－3/R・2396

定　　價：490.00元

《栖芬室藏中醫典籍精選》編纂委員會

前言

范行準先生是中國醫史文獻研究的開拓者之一，其成就之巨大，至今難以逾越；他也是著名藏書家，其栖芬室以收藏中醫古籍聞名於世。與一般藏書家不同的是，范行準先生搜求醫籍的初衷并非只爲藏書，而是爲開展醫史研究收集資料，因此，他的藏書除注重醫籍的版本價值外，更重視文獻的稀缺性和學術性。他説：『予之購書，善本固所願求，但應用與希覯孤本，尤亟於善本也。』足見他對購求孤本和稀見本比善本更爲迫切。他的藏書不僅有元明善本，還有大量的孤本、稀見本、稿抄本，這更是其藏書的一大特色；他還特別注重圍繞某個專題進行搜集，如爲了研究中國免疫學史，他搜集了大量疫病、痘疹和牛痘接種的相關文獻；他在本草、成藥方、中西匯通醫書的收藏方面，亦有獨到之處。

長期以來，研究者一直期望將栖芬室藏中醫古籍珍本系統整理，影印出版。在國家古籍整理出版專項經費的資助下，我們已甄選栖芬室藏元明善本、稿抄本以及最具特色的『熟藥方』，并加以編輯整理，邀請專家撰寫提要，且分别於二〇一六和二〇一七年相繼影印出版了栖芬室藏中醫典籍精選第一輯和第二輯，受到學界歡迎。上述兩輯出版的著作，僅爲栖芬室藏書的一部分，除此之外尚有許多醫籍值得醫界研究和利用。此次我們又獲得了國家古籍整理出版專項經費的資助，選取了十餘種明清孤本、善本和有實用價值的醫籍影印出版，是爲栖芬室藏中醫典籍精選第三輯。

作爲『栖芬室藏中醫典籍精選』項目的收官之作，本輯在書目的選擇上尤難决斷，栖芬室所藏珍本甚多，内容廣泛，難免顧此失彼。我們希望所選書目既能兼顧臨床實用與文獻價值，又能體現栖芬室藏書的特色和范行準先生的藏書理念。

基於上述考慮，本輯入選書目大多臨床實用與文獻價值兼具。如醫略正誤概論是少見的針砭時弊的作品，該書十分注重常見病尤其是熱證的鑒别診斷，是關於熱證最全面的論著。女醫雜言是罕見的女性醫家的著作，也是較早的醫案著作，所記案例均爲女性病人，内容細緻入微。衆妙仙方是明代官吏馮時可在廣西爲官時，發現當地缺醫少藥，迷信巫術，爲改變這種狀况而作，收方切合實用。新編名方類證醫書大全、慈惠小編、脉微等均具有較高的臨床價值。

在版本和文獻價值方面，本輯所收有不少爲海内外孤本，如上述的醫略正誤概論、女醫雜言、慈惠小編及秘傳常山敬齋楊先生針灸全書等爲天壤間僅存之碩果，且其中一些還入選了國家珍貴古籍名録，其版本和文獻價值自不待言。有些入選醫書雖然現存不止一種版本，但也獨具特色。如衆妙仙方，現存三種版本，本次所選爲萬曆刊本，印刷年代雖在三種版本中最晚，但經比對發現，該版本與其他兩種版本有較大差异，應是其初刊本的翻刻本，反映了該書最初的狀態，對研究該書版本及修訂演進有重要價值。再如醫説，版本衆多，民國至今，我國已出版的影印本多達二十餘種，但是，這些影印本所據底本僅宋刊本、四庫全書本和顧定芳本三種。本次選用的張堯德刻本，經籍訪古志補遺評價其爲『依顧定芳本而改行款字數者，然比之顧本，仍能存宋本之舊』。該版本序、跋最全，存本亦少，對於考察醫説的版本源流以及校勘均有重要價值。

栖芬室藏書中，有不少和刻本中醫典籍，本次選編的熊宗立新編名方類證醫書大全爲這類書的代表，該書刊刻於日本大永八年（一五二八），是目前已知的日本翻刻的第一部中國醫籍，也是日本博多本的代表作，本身具有很高的版本價值。其底本是明成化三年（一四六七）熊氏種德堂刻本，翻刻本連原刻本的牌記都原樣照刻，而原刻本國内已無存。有學者曾將該翻刻本與日本藏明成化三年原刻本對比，認爲二者的版式、行款俱同，從該和刻本還可以窺見原刻本之面貌。該和刻本後有日本著名學者幻雲壽柱的校勘記，這是中日醫學交流的重要見證。

范行準先生因明季西洋傳入之醫學一書蜚聲學界，其藏書中亦不乏中西匯通著作，如徹滕八編·内鏡收載了一些西方傳入的解剖生理學知識，是現在所知最早的中西匯通醫書，國内僅兩家圖書館有藏，亦屬珍貴。近年來，該書引起學界關注，屢被引用，但對其系統的研究工作還有待開展。

栖芬室藏書中，還有一些醫學學術價值雖然不高，但却能據以了解醫學在市井平民間傳播方式的普及性書籍，繡像翻症即屬此類。關於該書，范行準先生曾在栖芬室架書目録按曰：『「翻症」之自來未聞，嘗殫思不得其解，頃重整書目，又觸及此書，忽悟「翻」乃「番」之借字，諸言霍亂由外番傳入，故亦稱「番痧」。而因患者嘔吐猝倒，北方稱爲翻倒，因有「翻症」之稱。』該書後附售賣各種成藥的名單，因而范行準先生『疑亦當時藥肆宣傳品』。書中用動物和人的形象表示疾病的症狀，如『烏鴉狗翻症』上方繪一鴉一狗，下方繪一跌倒地上、口吐穢物的病人。文字則書寫症狀、治法，形象生動。中國中醫古籍總目收載有該書的三種版本，最早爲同治年間刊本，本次影印者爲更早的咸豐元年文林堂刻本，爲中國中醫古籍總目所漏載。

在第一輯的前言中，我們已對范行準先生和栖芬室藏書做了介紹，但是在本項目即將完成之際，仍情不自禁感念先賢保存中醫古籍的豐功偉業。范行準先生出身貧寒農家，本是放牛娃，斷續讀過兩年小學，靠自學考入上海國醫學院，在師友接濟下才得以完成學業。寒門子弟，本應與藏書家的名號無緣。但是，范行準先生對醫史文獻研究産生了濃厚興趣，爲此他開始搜求醫籍，以供學術研究之用。抗日戰爭爆發後，珍貴圖書散落市井，他又『念典章之覆没，感文獻之無徵』，終日流連於書肆冷攤，節衣縮食，不惜典當借貸，購買醫籍，竟憑一己之力，使大量珍貴醫籍免遭兵燹之厄，存留至今，爲我們所用。

范行準先生是公認的藏書家，但他却不願以此自詡，他説：『有人曾經稱我爲藏書家，老實説我是不太喜歡這個詞的，我認爲「書」是供人閲覽和參考，而决不是讓人來觀賞的，否則無論多麽珍貴的書都會成爲一堆毫無價值的廢紙。』中國傳統的藏書家往往將自家藏書作爲案頭的清供與把玩件，不輕易示人，但范行準先生則視『書物爲天下公器』，在自己頭腦尚清醒之時，即將栖芬室藏中醫典籍悉數獻出。這些藏書不僅價值連城，而且耗費了他畢生心血，亦讓他在感情上難以割捨。他説：『這些書籍跟隨了我三十餘年，它們和我朝夕相處，是我的良師益友，我也把它們當作自己的孩子來愛護，現在讓我一下子離開它們，我心中自然是异常地難捨難分，但是在我有生之年能够看到我酷愛的書籍將爲整個社會、整個中醫事業做更大的貢獻時，我感到無限的幸福和光榮。』

『爲整個社會、整個中醫事業做更大的貢獻』是范行準先生生前的崇高願望，栖芬室藏中醫典籍精選的整理出版，正是以實際行動繼承范行準先生的遺志，以期爲發展中醫藥事業貢獻力量。

栖芬室藏中醫典籍精選總計三輯，它能够順利出版，有賴國家古籍整理出版專項經費的資助，中國中醫科學院中醫藥信息研究所領導和各位專家的支持，以及古籍研究室同事和北京科學技術出版社編輯的辛勤工作。在此一并致謝！

牛亞華

二〇一七年十一月九日於中國中醫科學院

目　録

栖芬室藏中醫典籍精選·第三輯

秘傳常山敬齋楊先生針灸全書

提要　李素雲

内容提要

秘傳常山敬齋楊先生針灸全書（簡稱楊敬齋針灸全書）共上、下兩卷，分訂爲四册，上卷一册，下卷三册，是一部主要輯録明以前針灸歌賦，論述經絡腧穴理論、病證治療取穴的針灸著作。該書與明代徐鳳針灸大全和朱鼎臣徐氏針灸全書在内容上具有相似性。本書與朱氏的徐氏針灸全書是針灸大全的兩種不同傳本。

本書之末題『萬曆辛卯仲冬月書林余碧泉刊行』，萬曆辛卯爲一五九一年，故本書的成書年代應該是此年或之前。正文卷端題名：『建陽 九十翁 西溪 陳言著，御醫 直隸 長州 懷仁 張應試校正，江右安福縣 懷洲 歐陽惟佐録』，後世據此認爲該書的作者爲『陳言』。據現代學者劉奇、曾芳、余曙光（楊敬齋針灸全書考略，上海針灸雜志，二〇一二）考證，中國人名大辭典、四庫全書・子部・醫家類、明史・人物志、萬曆建陽縣志未見任何有關陳言或楊敬齋的記載。又因張應試在萬曆庚寅年（一五九〇）掌管南京太醫院，而針灸全書既不是太醫院藏本，也不是太醫院刊刻，張氏爲其校正不符合常理，由此推斷這是明末書坊爲求利益而慣用的托名手法。黄龍祥針灸名著集成・未收針灸名著提要亦持這一觀點。

學者劉奇、曾芳、余曙光考證後發現，『此書與徐氏針灸大全、朱鼎臣徐氏針灸全書・銅人針灸全書内容均有相似之處，對比朱氏、陳氏之書後發現，兩書有大量相同的文字内容和疾病針方圖，甚至同篇章有相同的錯别字，楊敬齋針灸全書下卷所收載的一百零四張病證針方圖中有四十張與朱氏之書所載之圖取穴基本相同，認爲據此可推斷楊敬齋針灸全書應該是據朱氏之書改編而來，陳氏的書從内容完整性、分卷、排版以及字迹的清晰程度等方面均優於朱氏之書，且與針灸大全顯得更爲相近』。黄龍祥在其主編的針灸名著集成『前言』中也對該書與朱鼎臣徐氏針灸全書和徐鳳針灸大全的關係有考證：『明萬曆十二年三槐堂刊朱鼎臣編徐氏針灸全書基本抄自徐鳳針灸大全，只是將徐氏原書編次稍加改動，并以另一部針灸方書替代徐氏原書卷四「八法主治病證」所采用的針灸方書。稍後，陳言氏又將朱氏針灸全書的編次稍加改動，題作楊敬齋針灸全書，同由建陽書坊刊於萬曆十九年（一五九一）。』黄氏又在針灸大全考略（中國針灸，一九九八）一文中論述：『明萬曆十二年刊朱鼎臣編徐氏針灸全書及萬曆十九年刊陳言編楊敬齋針灸全書二種，實爲徐氏針灸大全的另一傳本。』因筆者未見到朱鼎臣徐氏針灸全書，對此三種書的傳承關係謹以上述學者的考證意見爲據。

楊敬齋針灸全書卷上内容主要爲明以前針灸歌賦，按順序依次爲：周身經穴賦，論一穴有二名、三名、四名、五名、六名，論一名有兩穴，金針賦，流注指微賦，通玄指要賦，靈光賦，席弘賦，標由賦。卷下分三册。第一册内容是：十二經脉歌、十二經本一脉歌、經穴起止歌、十五脉絡歌、經脉氣穴多少歌、禁針穴歌、禁針穴歌、血忌歌、逐日人神閉、九宫尻神歌、太乙人神歌、孫思邈針十三鬼穴歌、長桑君天星秘訣歌、馬丹陽天星十二穴并治雜病歌、四總穴歌、千金十一穴歌、治病十一證歌、論子午流注之法、竇文真公八法流注。徐鳳針灸大全將十二經脉流注之圖置於『子午流注逐日按時定穴歌』之後，本書則將此内容置於『竇文真公八法流注』的『八法主治病證』中，原針灸大全『八法主治病證』的内容本書缺。第二册包括周身折量法、頭部中行一十四穴定位（配圖）、頭部二行左右一十四穴定位（配圖）、頭部三行左右一十二穴定位（配圖）、側頭部左右二十六穴定位（配圖），接下來是肩膊部、背部、膺部、腹部、側脅部等部位之腧穴定位（配圖），但缺少徐鳳針灸大全原有的面部及四肢部十二經脉腧穴定位和配圖，在頭部和肩膊部腧穴定位之間插入了鵝掌風、半身風、脚疾的四張針灸證治取穴圖，到側脅部腧穴定位（配圖）後又插入了中風諸種症狀、風痓證、傷寒諸證、霍亂、雜病的治療取穴圖。第三册接第二册的内容，爲中暑、發瘧、吐瀉、嘔吐、水腫、小兒驚風、婦人經帶胎産等多種病證的針灸取穴圖，後接有『定取四花穴法』『治癰疽騎竹馬灸法』，并附有取穴圖。

總體來看，本書與徐鳳針灸大全内容大部分相同，但在編排順序上有所變化，卷上主要爲針灸歌賦，卷下分爲三册，第一册主要是經絡理論、子午流注方面的内容；第二册主要是腧穴定位、配圖以及一部分病證的治療取穴圖；第三册也是一些病證的治療取穴圖。本書缺少針灸大全卷四的『八法主治病證』，卷五的面部腧穴定位、配圖及四肢部十二經脉的腧穴定位、配圖，卷六的有關灸法的『點穴論』『論艾炷大小』『論壯數多少』『論點艾火』等内容。而較之針灸大全該書增加了一百零四張病證治療取穴圖。劉奇、余曙光、曾芳的楊敬齋針灸全書的文獻和臨床價值［南京中醫藥大學學報（社會科學版），二〇一四〕考證發現本書有四十張圖與朱氏針灸全書基本相同，有六十八張與針灸捷徑基本相同，另外十六張未見他書著録。

栖芬室藏楊敬齋針灸全書現已爲海内孤本，首頁上范行準先生題有：『明萬曆刊本，丁亥驚蟄行準題』字樣，該丁亥年當爲一九四七年，在栖芬室藏書中，這樣的題字并不多見，足見范行準先生對本書之重視。二十世紀五十年代，曾有出版社影印該本，現已少見。因本書是徐鳳針灸大全的一種傳本，且刊刻年代較早，可作爲針灸大全的主要對校本之一，具有較高的版本價值。本書收録了大量明以前針灸歌賦，這些歌賦都是前人臨床經驗的積累，言簡意賅、易誦易背，利於臨床醫生掌握，具有重要的臨床指導意義。此外，本書還保存了一些珍貴的文獻資料，有些資料尚未見他書記載，因此，本書也具有較高的文獻價值。

李素雲

共弍卷分訂四冊

針灸全書

卷上

明萬曆刊本

丁亥驚蟄 行準題

秘傳常山敬齋楊先生針灸全書卷之上

建陽　九十翁　西溪　陳言　著
御醫　直隷　長州　懷仁　張應試校正
江右　安福縣　懷洲　歐陽惟佐錄

周身經穴賦

手太陰肺大指側（少商）（魚際）兮（太淵）穴。（經渠）兮（列缺）（孔最）兮（尺澤）（俠白）共（天府）為鄰（雲門）與（中府）相接

手陽明兮大腸之經循（商陽）（二間）（三間）而行。歷（合谷）（陽谿）之腧。過（偏歷）（温溜）之臏。下廉上廉三里而近。曲池肘髎五里之程

臑髃上於巨骨天鼎。紆乎扶突禾窌。脣達迎香鼻迫。

胃乃足之陽明，厲兊趍乎内庭，過陷谷冲陽之分，見解谿豐隆之神。下巨虛兮條口陳，上巨虛兮三里仍，犢鼻引入梁丘陰市之下，伏兎上貫髀關氣冲之經，歸來兮水道犬巨兮外陵運天樞兮滑肉禮。太乙兮關門梁門兮承滿不容兮乳根乳中之膺，窓屋翳庫房之氣户，缺盆氣舍水突人迎，大迎地倉兮巨髎續四白兮承泣分御，頰車於下關張頭維於額垠。是太陰兮脾中州，隱白出兮大指頭，赴大都兮瞻太白，訪公孫兮至商丘，越三陰之交，而漏谷地机，可即步陰陵之泉，而血海箕門是求，入冲門兮府舍，軒轄解腹結兮大橫優游。腹哀食竇兮接天溪，而周派。胸鄉周榮兮綴大包，而如鉤，

迨夫真心為手少陰、少冲出手小指、少府直手神門。陰郄通

兮靈道非遠、少海。青靈兮極泉何深、

手太陽小腸之榮路、少澤步前谷後谿之隆道遵。腕骨觀陽谷

養老之崇墀、支正於小海逐肩貞以相從、值臑腧兮遇天宗

乘、秉風兮曲垣。中肩外俞兮肩中俞。故天窗兮見天容匪由

顴髎謁造听宮、

足膀胱兮太陽交背部之二行窮。至陰於通谷之口尋、束骨於

京骨之鄉、中脉命僕參以前導崑崙辟金門於踝傍、奮附陽

飛揚之志轉、承山承筋之行至於合陽委中委陽浮郄殷門

以相從、扶承秩邊而胞肓入志室兮肓門胃倉開意舍兮振

彼陽綱而魂門兮膈關遮譩譆乎神堂膏肓兮在四椎之左
右。魄户兮隨附分而会陽下中次上之窌、白环、中旅之房。膀
胱俞兮、小腸大腸俞兮在傍、三焦腎俞兮胃俞、接脾胆、肝膈
兮心俞當厥陰肺俞之募風門大杼之方、天柱堅兮玉枕絡
却、通天䜭兮見彼承光、自五處曲差而下造、攢竹䐹睛之場
足少陰兮腎屬湧泉。流於然谷、大溪大鍾兮水泉緑照海復溜
兮交信續涉築賓兮上陰谷掩横谷兮大赫麓気穴四滿兮
中注。肓俞上通兮商曲、守石関兮陰都寧閉通谷兮幽門肅
歩廊神封而灵墟存神藏或中而俞府足、
手厥陰心包之絡、中冲發中指之奇、自劳宫大陵而进逐、内関

間使而馳。叩郄門於曲澤。酌天泉於天池。

手少陽三焦之脉。在小指次指之端關衝開乎液門中渚陽池外關支溝会宗三陽絡。四瀆天井清冷淵。消濼臑会肩髎而相連。天髎處天牖之下。翳風讓瘈脉居先。顱顖定。而角孫近耳。絲竹空而禾髎倒懸耳門。既闘夏蚋聞焉。

足少陽兮膽經穴。乃出乎竅陰泝俠谿兮地五会過臨泣兮坵墟乎。懸鍾兮陽輔光明外丘兮陽交陰陵西出。陽關兮抵中瀆風市之境。环跳居窌兮循維道五樞之名。考夫帶脉詢至京門日月麗兮輒筋崇淵腋泄兮肩井盈臨。風池兮腦空鳴竅竅陰兮完骨明聳浮白於天冲接承灵於正宮。目窓兮

臨泣、陽白兮本神率谷囟兮曲鬢、而懸釐降兮懸顱、承頷厭
兮佳客主人听会兮童子窌迎
厥陰在足肝經所終起、大敦於行間循、太冲於中封蠡溝、中都
之會膝関曲泉之宮襲陰包於五里兮陰廉乃發尋羊矢於
章門兮期門可攻、
至若任脉行乎腹與胸、承漿泄兮廉泉通竅、天突於璇璣樗、華
蓋於紫宮登玉堂兮膻中、逢集。中庭兮鳩尾、沖聽巨闕兮上
脘中脘、過建里兮下脘攸同、水分兮神闕縹緲陰交兮氣海
鴻濛。石門直兮関元中極、曲骨横兮会陰乃終、
督脉行乎背部中、兊臨接兮断交、從素膠在鼻兮水溝疏通、神

（庭）入髮兮（上星）瞳朦（顖会）現兮（前頂 百会）儼兮尊崇（後頂）轉兮（強間）逢（腦空）閑兮（風府）空（啞門）通於（大杼）兮（陶道）坦夷（身柱）縹於（神道）兮（靈臺）穹窿（至陽）立下（筋縮 脊中 接脊 懸樞 命門）重重歌（陽關）兮舞（腰俞）頌（長強）兮壽無窮

論一穴有二名

後頂 一名交冲　強間 一名大羽　腦户 一名合顱

風府 一名舌本　腦空 一名顳顬　顳顬 一名顱息

瘈脉 一名資脉　素髎 一名面士　水溝 一名人中

承漿 一名懸漿　廉泉 一名吉本　睛明 一名淚孔

巨髎 一名巨窌　絲空 一名目髎　頰車 一名机關

肩井一名膊井　臑會一名臑髎　大杼一名百劳
命門一名屬累　風門一名热府　督俞一名高盖
中膂内俞一名脊内俞　會陽一名利机
天窗一名窗籠　天鼎一名天項　扶突一名水穴
缺盆一名天盖　人迎一名五会　天突一名天衢
玉堂一名玉英　腧府一名輸府　中府一名府中俞
天池一名天会　中脘一名太倉　水分一名分水
神闕一名气合　會陰一名屏翳　四滿一名髓府
橫骨一名屈骨端　氣冲一名气街　腹結一名腸窟
冲門一名慈宫　太淵一名太泉　商陽一名絶陽

二間一名間谷　三間一名少谷　合谷一名虎口

陽谿一名中魁　三里一名于三里　少冲一名經始

神門一名兊冲　少海一名曲節　少澤一名小吉

天泉一名天溫　陽池一名別陽　支溝一名飛虎

中封一名懸泉　蠡溝一名交仪　中都一名中郄

陰包一名阴胞　懸鍾一名絶骨　漏谷一名太阴絡

地機一名脾舍　血海一名百虫窠　下廉一名下巨虛

上廉一名上巨虛　陰市一名陰鼎　伏兎一名外勾

湧泉一名地冲　太溪一名吕細　然谷一名龍淵

照海一名阴蹻　申脉一名陽蹻　金門一名

僕叅一名安耶 崑崙一名下崑崙 付陽一名附陽

飛陽一名厥陽 環跳一名臏骨 然谷一名然骨

論一穴有三名

絡却一名強陽一名腦盖 禾髎一名長頬一名禾窌 童子一名太陽一名前關

上關一名客主人一名客主 前關一名太陽一名蟲子窌 聽會一名听河一名後關

肩髃一名中肩井一名偏骨 脊中一名神宗一名脊俞 膻中一名亶中一名元見

鳩尾一名尾翳一名骭鶻 上脘一名上管一名胃脘 關元一名丹田一名太中極

氣海一名脖胦一名下肓 中極一名玉泉一名氣原 氣穴一名胞門一名子户

太赫一名陰維一名陰關 天樞一名長谿一名谷門 日月一名神光一名胆募

京門一名气俞一名气府 溫溜一名地頭一名逆注 勞宮一名五里一名掌中

陽交　一名別陽　一名足窌　陽關　一名關陽　一名關陵　承筋　一名腨腸　一名直腸

復溜　一名昌陽　一名伏白

論一穴有四名

百會　一名三陽　一名五会　一名天滿

瘂門　一名瘖門　一名舌横　一名舌厭

攢竹　一名矢光　一名光明　一名員柱

章門　一名長平　一名季脇　一名脇髎

承山　一名魚腹　一名肉柱　一名傷山

扶承　一名肉郄　一名阴開　一名皮部

論一穴有五名

石門一名利机 一名精露 一名丹田 一名命門

論一穴有六名

腰俞一名背解 一名腰柱 一名髓俞 一名髓孔 一名腰户

論一名有二穴

頭臨泣足臨泣　腰通谷足通谷　手三里足三里

頭竅陰足竅陰　背陽關足陽關

○金針賦　序

大明洪武庚辰仲春，予學針法，初學於洞玄先生孟仲倪公。明年父沒，過維陽，又學於東隱先生九思彭公，深得二先生發明竇太師針道之書、梓岐風谷飛經走氣補瀉之法。遊江湖聞以之叅問他師皆不過飫談其槩及求精微之玅百不一二問有知者亦莫盡知其奧予於是甚悦於心則知世所得者鮮矣固深胸臆寶而重之數年間用而百發百中無不臻效永樂己丑惜予遭誣徙居於民樂耕鋤之内故退寓西河立其堂曰資深其號曰泉石心以遯守自娛過者皆曰此讀書耕者之所也凡有疾者求治不用於針多用於灸自是梓岐風谷之法荒廢而名不聞非不以濟人之心為心蓋不欲取譽於時矣今也予年向暮髭鬢皆霜恐久失傳拳拳在念正統己未春末養疾之暇閱其所傳針法之書繁而無統於是撮其簡要不愧踈庸編集成文名曰金針賦金乃世之寶

也非富貴不能得之豈貧賤所能有也名其金稱其貴也貴
能劫疾於頃刻之間故以觀夫發端而嗟夫結之則深嘆美
其法而有收效之捷異耳篇中首論頭病取足左病取右男
女早晚之氣手足經絡順逆之理次論補瀉下針調氣出針
之法末論治病驅運氣血通接至微之妙而又叮嚀勉其學
者務必以書精誠則可以起沉痾之疾言雖直其義詳明尤
且貫穿次第有序使後之學者易爲記誦其傳不泯俟他日
有竇漢卿復出而攻之熟造之深得於心而　目顯用光大
必念乎今之删繁撮簡成文者誰歟是亦遺言於後也必學
者敬之哉

旹

正統四年巳未歲八月既望　謹識

此金針賦乃先師秘傳之要法得之者每每私藏而
人必待價之金乃可得也予今以活人為心更不珍藏
載于卷中與同智之士共知學者慎勿輕視若能熟讀
詳味久當見之則用針之法盡於此矣

梓岐風谷飛經走氣撮要金針賦

觀夫針道捷法最奇須要明於補瀉方可起於傾危先分病之
上下次定先之高低頭有病而足取之左有病而右取之男
子之氣早在上而晚在下取之必明其理女子之氣早在下

而晚在上用之必識其時午前為早屬陽午後為晚屬陰男女上下憑腰分之手足三陽手走頭而頭走足手足三陰足走腹而胸走手陰升陽降出入之機逆之者為泄瀉為逆順之者為補為隨春夏刺淺者以瘦秋冬刺深以肥更觀原氣厚薄淺深之刺尤宜

原夫補瀉之法妙在呼吸手指男子者大指進前左轉呼之為補退後右轉吸之為瀉提針為熱插針為寒女子者大指退後右轉吸之為補進前左轉呼之為瀉插針為熱提針為寒左與右有異胸與背不同午前者如此午後者反之是故爪而切之下針之法搖而退之出針之法動而進之催針之法

循而攝之行氣之法搓則去病彈則補虛肚腹盤旋捫為穴
閉沉重豆許曰按輕浮豆許曰提一十四法針要所備補者
一退三飛真氣自歸瀉者一飛三退邪氣自避補則補其不
足瀉則瀉其有餘〻〻者為腫為痛曰實不足者為痒為麻
曰虛氣速效速氣遲效遲死生富貴針下皆知賤者硬而貴
者脆生者澁而死者虛為之不至必死無疑
且夫下針之法先須爪按重而切之次令咳嗽一聲隨咳下之
妙

凡補者呼氣初針刺至皮肉乃曰天才少停進之針刺至肉內
是曰人才又停進針刺至筋骨之間名曰地才此為極處就

當補之再停良久却須退之針至人之分待氣沉緊倒針朝病進退往來飛經走氣盡在其中矣凡瀉者吸氣初針至天少停進針直至扵地得氣之瀉再停良久却須退針復至扵人待氣沉緊倒針朝病法同前矣其或暈針者神氣虛也以針補之以袖掩之口鼻而氣回熱湯與之略停少刻依前再施之

及夫調氣之法下針至地之後復人之分欲氣上行將針右撚欲氣下行將針左撚欲補先呼後吸欲瀉先吸後呼氣不至者以手循捫以爪切掐以針搖動進撚搓彈直待氣至以龍虎升騰之法按之在前使氣在後按之在後使氣在前運氣

方[illegible]疼痛之所以納氣之法扶針直插復向下納使氣不回若關節阻澁氣不過者以龍虎龜鳳通經接氣大段之法驅而運之仍以循攝爪切無不應矣此通仙之妙

況夫出針之法病勢既退針氣微鬆病未退者針氣如根推之不動轉之不移此爲邪氣吸拔其針乃真氣未至不可出之出之者其病即復再須補瀉停以待之直候微鬆方可出針豆許搖而停之補者吸之去疾其穴急捫瀉者呼之去徐其穴不閉欲令凑密然後吸氣故曰下針貴遲太急傷血出針貴緩太急傷氣已上總要於斯盡矣

考夫治病之法有八一曰燒山火治頑麻冷痺先淺後深用九

陽而三進三退慢提緊按熱至緊閉插針除寒之有準二曰治肌熱骨蒸先深後淺用六陰而三出三入緊提慢按徐徐舉針退熱之可憑皆細細搓之去病準繩三曰陽中之陽先寒後熱淺而深以九六之法則先補後瀉也四曰陰中之陽先熱後寒深而淺以六九之方則先瀉後補也補者直須熱至瀉者務待寒侵猶如搓線慢慢轉針淺法在淺則用淺法在深則用深二者不可並而紊之也五曰子午搗臼水蠱膈氣落穴之後調氣均勻針行上下九入六出左右轉之千遭自平六曰進氣之訣腰背肘膝痛渾身走注疼刺九分行九補臥針五七吸待氣上行亦可龍虎交戰左撚九而右撚六

是亦住痛之針七曰留氣之訣痃癖癥瘕刺七分用純陽然後乃直插針氣來深刺提針再停八曰抽添之訣癱瘓瘡癩取其要穴使九陽得氣提按搜尋大要運氣周遍扶針直插復向下納回陽倒陰指下玄微胸中活法一有未應反復再施

若夫過關過節催運氣以飛經走氣其法有四一曰青龍擺尾如扶船舵不進不退一左一右慢慢撥動二曰白虎搖頭似手搖鈴退方進圓兼之左右搖而振之三曰蒼龜探穴如入土之象一退三進鑽剔四方四曰赤鳳迎源展翅之儀入針至地提針至天候針自搖復進其元上下左右四圍飛旋病在

上吸而退之病在下呼而進之

至夫久患偏枯通經接氣之法已有定息寸數手足三陽上九而下十四過經四寸手足三陰上七而下十二過經五寸在乎搖動出納呼吸同法驅運氣血頃刻周流上下通接可使寒者煖而熱者涼痛者止而脹者消若開渠之決水立見時功何傾危之不起哉雖曰病有三因皆從氣血針分八法不離陰陽盖經絡晝夜之循環呼吸往来之不息和則身躰康健否則疾病而生譬如天下國家地方山海田園江河溪谷值歲時風雨均調則水道疏利民安物阜其或一方一所風雨不均遭以旱澇使水道湧竭不同灾傷遂至人之氣血受

蠲邪扶正故曰醫家奇者哉

嗟夫軒岐古遠盧扁死亡此道幽深非一言而可盡斯文細密在久習而能通豈世上之常辭庸流之乏術得之者若科之及第而悅於心用之者如射之發中而進於目述自先賢傳之學用針之士有志於斯果能洞造玄微而盡其精妙則世之伏枕之疴有緣者遇針到病除隨而愈

金針賦畢

流注指微賦

疾居榮衛扶救者針觀虛實於瘦肥辨四時之淺深是見取穴之法但分陰陽而谿谷迎風逆順須曉氣血而升沉

原夫指微論中賾義成賦知本時之氣開說經絡之流注每披文而叅其法篇〻之誓審存復經而察其言字〻之功明諭疑隱皆知虛實總附移痛住疼知有神針下獲安暴疾沉痾至危篤刺之勿悮

詳夫陰日血引值陽氣流口溫針煖牢濡深求諸經十二作數絡脉十五為週陰俞六十臟主陽穴七十腑收陽刺經者可卧針而取奪血絡者先俾指而柔呼為迎而吸作補逆為鬼而從何憂淹疾延患着灸之由燥煩藥餌而求難拯必取八會壅腫奇經而蓄邪纖猶砭瘳

况夫甲膽乙肝丁心壬水生我者號母我生者名子春井夏滎

乃邪在秋經冬合乃刺矣犯禁忌而病復用日衰而難已孫絡在於肉分血行出於支裏悶昏針暈經虛補絡須然痛實痒虛瀉子隨母要指

想夫先賢迅効無出於針今人愈疾豈離於醫徐文伯瀉孕於苑内斯由甚速范九思療咽於江夏聞見言稀

大抵古今遺跡後世皆師王纂針魅而立康獺從被出秋夫療鬼而馘效魂免傷悲既而感指幽微用針直竅齊於筋骨皮肉刺要痛察於久新臟腑寒熱接氣通經短長依法裡外之絕羸盈必別勿刺大勞使人氣乱而神隳慎妄呼吸防他針昏而閉血文以常尋古義由有藏機遇高賢真趣則超然得

悟逢達人示教則表我扶危男女氣脉行分時合度養子時刻注穴〻須依今詳定疾病之儀神針法式廣搜難素之秘密文辞深考諸家之肘函妙臆故稱瀘江流注之指微以為後學之規則

通玄指要賦

必欲治病莫如用針巧運神机之妙功開聖理之深外取砭針能蠲邪而輔正中含水火善回陽而倒陰

原夫絡別支殊経交錯綜或溝渠溪谷以岐異或山海丘陵而隙共斯流泒以難聯在條綱而有統理繁而昧縱補瀉有何功法捷而明曰迎隨而浔用

且如行步難移太冲最奇人中除脊膂之強痛神門去心性之呆痴傷風項急始求於風府頭暈目眩要覓於風池耳閉須聽會而治也眼痛則合谷以推之胸結身黃瀉湧泉而即可腦昏目赤瀉攢竹以便宜若兩肘之拘攣仗曲池而平掃牙齒痛呂細堪治頭項強承漿可保太白宣導於氣冲陰陵開通於水道腹膨而脹奪內庭以休遲筋轉而疼瀉承山而在早

大抵脚腕痛崑崙解圍股膝疼陰市能醫癇發顛狂兮憑後谿而療理瘧生寒熱兮仗間使以扶持期門罷胸滿血膨而可以勞宮退胃翻心痛以何憂

猶大大敦去七疝之偏墜王公謂此三里去五痨之羸瘦華陀言斯固知腕骨袪黄肰谷谿腎行間治膝腫目疾尺澤去肘疼筋緊目昏不見二間宜取鼻塞無聞迎香可引肩井除兩臂之難任攅竹療頭疼之不忍咳嗽寒痰列缺堪治眵昏冷淚臨泣尤準髖骨舁腿痛以袪殘腎俞腰痛而瀉泄以見越人治尸厥於維会随手而甦文伯能瀉死胎於陰交應針而殞

聖人於是察麻與痛分实與虚实則自外而入也虚則自内而出之是故济母而裨其不足奪子而平其有餘觀二十七之經絡一一明辨據四百四之病証件件皆除故得天柱都無

齊斯民於壽域機微已判彰往古之玄書
抑又聞心胸病求掌後之大陵肩背疼責肘前之三里冷痺腎
餘取定陽陰之上連臍腹痛瀉少陰之水脊間心後者針中
渚而立痊脇下筋邊者刺陽陵而即止頭強痛擬後谿以安
然腰背疼在委中而已矣夫人用之士於此理苟明者焉收
祛邪之功而在乎撚指

灵光賦

黄帝岐伯針灸訣依他經裡分明說三陰三陽十二經更有兩
經分八脉灵光典註極幽深偏正頭疼瀉列缺睛明治眼努
肉扳耳聾氣痞听会間兩鼻齆衄針禾窌鼻窒不聞迎香間

治氣上壅足三里天突宛中治喘痰心痛手顫針少海少澤
應除心下寒兩足拘攣覓陰市五般腰痛委中安脾俞不動
瀉缶虛復溜治腫如神醫犢鼻治療風邪疾住喘脚痛崑崙
愈後跟痛在僕參求承山筋轉并久痔足掌下去尋湧泉此
法千金莫妄傳此穴多治婦人疾男蠱女孕而病痊百會鳩
尾治痢疾大小腸俞大小便氣海血海療五淋中脘下脘治
腹堅傷寒過經期門應氣刺兩乳求太淵大敦二穴主偏墜
水溝間使治邪顛吐而定喘補尺澤地倉能止而流涎勞宮
医滑身勞倦水腫水分灸即安五指不伸中渚取頰車可針
牙齒愈陰蹻陽蹻兩踝边脚氣四穴先尋取陰陽陵泉亦主

之陰蹻陽蹻與三里諸穴一般治脚氣在腰玄機宜正取
肓豈止治百病灸得玄切病須愈針灸一穴数病除學者太
宜加子細悟得明師流注法頭目有病針四肢針有補瀉明
呼吸穴應五行順四時悟得人身中造化此歌依舊是筌蹄

席弘賦

凡欲行針須審穴要明補瀉迎隨訣胸背左右不相同呼吸陰
陽男女別氣刺兩乳求太淵未應之時瀉列缺〻〻頭疼及
偏正重瀉太淵無不應耳聾氣痞聽會針迎香穴瀉功如神
誰知天突治喉風虛喘須尋三里中手連肩脊痛難忍合谷
針時要太冲曲池兩手不如意合谷下針宜子細心疼手顫

氣海間若要除根覔陰市但患傷寒兩耳聾金門聽會疾如風五般肘痛尋尺澤太淵針後却收功手足上下針三里食癖氣塊憑此取鳩尾能治五般癇若下湧泉人不死胃中有積刺璇璣三里功多人不知陰陵泉治心胸滿針到承山飲食思大杼若連長強尋氣滯腰疼不能立横骨大都宜急救氣海專能治五淋更針三里隨呼吸期門穴主傷寒患六日過經尤未汗但向乳根二肋間又治婦人生產難耳内蟬鳴腰欲折膝下明存三里穴若能補瀉五會間且莫逢人容易説睛明治眼未效時合谷光明安可缺人中治癇功最高十三鬼穴不須饒水腫水分兼氣海皮内隨針氣自消冷嗽先

宜補合谷却湏針瀉三陰交牙齒腫痛并咽痺二間陽谿疾怎逃更有三間腎俞妙害除肩背消風劳若針肩井湏三里不刺之時気未調最是陽陵泉一穴膝間疼痛用針燒委中腰痛脚挛急取得其經血自調脚痛膝腫針三里懸鍾二陵三陰交更向太冲湏引気指頭麻木自輕飄轉筋目眩針魚腹承山崑崙立便消肚疼湏是公孫妙内関相應必然瘳冷風冷痺疾難愈環跳腰間針與燒風府風池尋得到傷寒百病一時消陽明二日尋風府嘔吐還湏上脘療婦人心痛心隂穴男子痃疼三里高小便不禁関元好大便閉澁大敦燒脘骨腿疼三里瀉復溜気滞便離腰從來風府最難針却用

工夫度淺深倘若膀胱氣未散更宜三里穴中尋若是七疝小腸痛照海陰交曲泉針又是應時求氣海關元同瀉效如神小腸氣攝痛連臍速瀉陰交莫待遲良久湧泉針取氣此中玄妙少人知小兒脫肛患多時先灸百會次鳩尾久患傷寒肩背痛但針中渚得其宜肩上痛連臍不休手中三里便須求下針麻重即須瀉得氣之時不用留腰連膝痛必大便三里攻其隘下針一瀉三補之氣上攻噎只管針氣海定瀉一時立便瘥補自卯南轉針高瀉從卯北莫辭勞逼針瀉氣便須吸若補隨呼氣自調左右撚針尋子午抽針瀉氣自迎

〻用針補瀉分明說更用搜窮本典標咽喉最急先百會大

冲脉海及陰交學者潛心宜熟讀席弘治病最名高

標由賦

拯救之法妙用者針

夫今人愈疾豈離於醫治劫病之功莫妙於針刺故經云拘於鬼神不可與言至德惡於針石者不可與言至巧正此之謂也

察歲時於天道

夫人身十二經三百六十節以應一歲十二月三百六十日歲時者春暖夏熱秋凉冬寒此四時之正氣苟或春應暖而反寒夏應熱而反凉秋應凉而反熱冬應寒而反暖是故冬

傷於寒春必温病春傷於風夏必飧泄夏傷於暑秋必痎瘧秋傷於溼上逆而欬岐伯曰凡刺之法必候日月星辰四時八正之氣氣定乃刺焉是故天温日明則人血淖液而衛氣浮故血易瀉氣易行天寒日陰則人血凝滯而衛氣沉月始生則氣血始精衛氣始行月郭滿則氣血实肌肉生月郭空則肌肉減經絡虛衛氣去形獨居是以因天時而調血氣也天寒無刺天温無凝月生無瀉月滿無補月郭空無治是謂得天時而調之若日月生而瀉是謂臟虛月滿而補血氣揚溢絡有留血名曰重实月郭空而治是謂乱經陰陽相錯真邪不別沉以留止外虛内乱淫邪乃起又曰天有五運金水

木火土也地有六氣風寒暑温燥是也學者必察斯焉

定形氣扵予心

經云凡用針者必先度其形之肥瘦以調其氣之虛實〻則瀉之虛則補之必先去其血脈而後調之無問其病平調理期細察形氣滑扵心矣形盛脈細少氣不足以息者危形瘦脉大胸中多氣者死形氣相得者生不調者病相失者死是故色脉不順而莫針戒之〻〻

春夏瘦而刺浅秋冬肥而刺深

經云病有沉浮刺有浅深各至其理無過其道過之則内傷不及則外壅〻則邪從之浅深不得反為大賊内傷五臟後

生大病故曰春病在毫毛腠理夏病在皮膚故春夏之人陽氣輕浮肌肉瘦薄血氣未盛宜刺之淺秋病在肌肉脉冬病在筋骨秋冬則陽氣收藏肌肉肥厚血氣充滿刺之宜深又云春刺十二井夏刺十二滎季夏刺十二俞秋刺十二經冬刺十二絡合以配木火土金水理見子午流注

不窮經絡陰陽須逢刺禁

經有十二手太陰肺少陰心厥陰心包絡太陽小腸少陽三焦陽明大腸足太陰脾少陰腎厥陰肝太陽膀胱少陽膽陽明胃也絡有十五肺絡列缺心絡通里心包絡内關小腸絡支正三焦絡外關大腸絡偏歷脾絡公孫腎絡大鍾肝絡蠡

溝膀胱絡飛揚膽絡光明胃絡豐隆陰蹻絡照海陽蹻絡申
脉脾之大絡大包督脉絡長强任脉絡屛翳也陰陽者天之
陰陽平旦至日中天之陽〻中之陽也日中至黄昏天之陽
陽中之陰也合夜至鷄鳴天之陰〻中之陰也鷄鳴至平旦
天之陰〻中之陽也故人亦應之夫言人之陰陽則外為陽
内為陰言身之陰陽則背為陽腹為陰手足皆以赤白肉分
之言藏腑之陰陽則五藏為陰六腑為陽是以春夏之病在
陽秋冬之病在陰皆視其所在與施針石也又言背為陽〻
中之陽心也陽中之陰肺也腹為陰〻中之陰腎也陰中之
陽肝也陰中之至陰脾也此皆陰陽表裏内外雌雄相輸應

也是以應天之陰陽者苟不明此經絡陰陽升降左右不同之理如病在陽明反攻厥陰病在太陽反和太陰遂致賊邪未除本氣受弊則有勞無功禁刺之犯豈可勉哉

既論臟腑虛實須向經尋

臟者心肝脾肺腎也腑者胆胃大小腸三焦膀胱也虛者痒麻也實者腫痛也臟腑居于內經絡行乎外虛則補其母實則瀉其子如心病虛則補肝木實則瀉脾土又且本經亦有子母如心之虛取少海穴以補之實則取少府穴以瀉之諸經皆然並不離乎五行相生之理矣

原夫起自中焦水初下以太陰為始至厥陰而方終穴出雲門

極期門而最後

此言乎人気象気脉行於十二經一周為身除任督之外計三百九十三穴一日一夜有百刻分於十二時每一時有八刻二分每一刻計六十分一時共計五百分每日寅時太陰肺脉生自中焦中府穴出於雲門起至少商穴至卯時陽明大腸經自商陽穴至迎香穴辰時陽明胃經自頭維至厲兊巳時太陰脾經自隱白至大包午時少陰心經自極泉至少冲未時太陽小腸經自少澤至聽宫申時太陽膀胱経自睛明至至陰酉時少陰腎経自湧泉至俞府戌時心包絡經自天池至中冲亥時少陽三焦經自関冲至禾窌子時少陽胆

經自童子窌至竅陰丑時厥陰肝經自至大敦至期門而終

絡十二別絡走三百餘支

十二經者即手足三陰三陽之正經也別絡者除十五絡又有横絡絲絡孫絡不知其紀散走於三百餘支之脉也

正側偃伏氣血有六百餘候

此言經絡或正或側或仰或覆而氣血循行孔　一周于身榮行脉中三百餘候衛行脉外三百餘候

手足三陽手走頭而頭走足手足三陰足走腹而胸走手

此言經絡陰升陽降氣血出入之机男女無以異矣

要識迎隨須明逆順

迎隨者要知榮衛之流注經脉之往來也明其陰陽之經逆順而取之迎者以針頭朝其源而逆之隨者以針頭從其流而順之是故逆之為瀉為迎順之為補為隨若能知迎知隨令氣必和和氣之方必通陰陽升降上下源流往來逆順之道明矣

況夫陰陽氣血多少為最厥陰太陽少氣多血太陰少陰少血多氣而又氣多血少者少陽之分氣盛血多者陽明之位

此言三陰三陽氣血多少之不同取之必記為最要也

先詳多少之宜次察應至之氣

言用針者先明上文氣血之多少次觀針氣之來應也

輕滑慢而未来沉澁緊而已至

輕浮滑虛慢遲也入針之後直此三者乃真気之未到也沉

重澁滞緊實入針之後直此三者是正気之已到也

既至也量寒熱而留疾

留住也疾速也此言正氣既至必審寒熱而施之故经云刺

熱須至寒者必留針陰氣隆至乃呼之去徐其穴不閉刺也

須至熱者陽気隆至針氣必熱乃吸之去疾一穴急捫

未至也據虛實而痏氣

此言針気之未来也经云虛則推内進搓以補其気實則循

捫彈怒以引其氣

之至如魚吞鈎餌之浮沉氣未至如閑處幽堂之深也遂氣既至則針自澁緊似魚吞鈎或沉或浮而動其氣不來針自輕滑如閑居靜室之中寂然無所聞也

氣至速而効速氣遲至而不治

言下針若得氣來速則病則瘥而効亦速也氣若來遲則病難愈而有不治之憂故賦云氣速効速氣遲効遲候之不至必死無疑矣

觀夫九針之法毫針最微七星可應衆穴主持

皆黃帝製九針者上應天地下應陰陽四時九針之名各不同形一曰鑱針以應天長一寸六分頭尖末銳去瀉陽氣二

曰圓針以應地長一寸六分針如卵樣形指磨分肉間不得傷肌肉以瀉分氣三曰鍉針以應人長三寸半鋒如黍粟之銳主脉勿陷以致其氣四曰鋒針以應四時長一寸六分刃三隅以發痼疾五曰鈹針以應五音長四寸廣二分半末如劍鋒以取大膿六曰員利針以應六律長一寸六分大如氂且員且銳中身微大以取暴氣七曰毫針以應七星長三寸六分尖如蚊虻喙靜以徐往微以久留之而痒以取痛痺八曰長針以應八風長七寸鋒利身薄可以取遠痺九曰大針以應九野長四寸其鋒微員尖如挺以瀉機關之水九針畢矣此言九針之妙毫針最精能應七星又為三百六十穴之

條也

本形金也有蠲邪扶正之道

本形言針也針本出於金古人以砭石今人以鐵代之蠲除也邪氣盛針能除之扶輔也正氣衰針能輔也

短長水也有決疑開滞之機

此言針有長短猶水之長短也人之氣血凝滞而不通猶水之凝滞而不通也水之不通決之使流於湖海氣血不通針之使周於經絡故言針應水也

定刺象木或斜或正

此言木有斜正而用針亦有或斜或正之不同刺陽經者必

斜卧其針無中其衛刺陰分者必正立其針毋傷其榮故言
針應来也

口藏比火進陽補羸
口藏以針含于口也氣之温如火之温也羸瘦也凡欲下針
之時必效方真人口温針煖使榮衛相接進己之陽氣補彼
之瘦弱故言針應火也

循機捫而可塞以象土
循者用手上下循之使氣血往来也机捫者針畢以手捫閉
其穴如用土填塞之義故言針應土也

是應五行而可知

五行者金木水土也此結上文針能應五行之理　可知矣
然是一寸六分包含妙理
言針雖但長一寸六分能巧運神機之妙中含水火回倒陰
陽其理最玄妙也
雖細楨於毫髮何貫多岐
楨針之幹也岐氣血往来之路也言針之幹雖如毫髮之微
小能貫通諸經血氣之道也
可平五臟之寒熱能調六腑之虛實
平治也調理也言針能調治臟腑之疾有寒則温之有熱則
清之虛則補之實則瀉之

拘攣閉塞遣八邪而去矣

拘攣者筋脉之拘速也閉塞者氣血不通也八邪者所以候八風之虚邪也言疾有攣閉者必驅散八風之邪也

寒熱痛痺開四關而已之

寒者身作顫而發寒也熱者身作潮而發熱也痛疼痛也痺麻木也四關者五臟有六腑六腑有十二原十二原出於四關太冲合谷是也

凡刺者使本神朝而後入既刺也使本神定而氣隨神不朝而勿刺神已之而可施

凡用針者必使患人精神已朝而後方可入針既刺之必使

疾者精神總定而後施針行氣若氣不朝其針必輕滑不知疼痛如插豆腐者莫與進之必死之候如神氣既至針自緊澁可與依法察虛實而施之

定脚處取氣血為主意

言欲下針之時必取陰陽氣血多少為主見上文

下手處認水木是根基

濟毋裨其不足奪子平其有餘此言用針必先認子母相結之義舉水木而不及土金火者省文也

天地人三才也湧泉同璇璣百會

百會一穴在頭以應乎天璇璣一穴在胸以應乎人湧泉二

穴在足掌心以應手也是謂三才也

上中下三部也大包與天樞地機

大包二穴在乳後為上部天樞二穴在臍傍為中部地机二穴在足䯒為下部是謂三部也

陽蹻陽維并督脉主肩背腰腿在表之病

陽蹻脉起於足跟中循外踝上入風池陽維脉維持諸陽之會如腑會太倉之類督脉起自下極之腧並與脊裏上行風府過腦額鼻入齗交穴也言此奇經三脉屬陽主治肩背腰腿在表之疾也

陰蹻陰維任衝帶去心腹脇肋在裏之疑

陰蹻脉亦起於足跟循內踝上行至咽喉交貫衝脉陰維脉維持諸陰之交如足太陰之脉交出厥陰之前任脉起於中極之下循腹上至咽喉而終衝脉起於氣冲併足陽明之經夾臍上行至胸中而散也帶脉起於季脇回身一周如繫帶也言此奇經五脉屬陰能治心腹脇肋在裏之疾也

二陵二蹻二交似續而交五大也

二陵者陰陵泉陽陵泉也二蹻者陰蹻陽蹻也二交者陰交陽交也續接續也五大者五體也言此六穴遞相交接於兩手兩足并頭也

兩間兩商兩井相依而列兩支

兩間者二間三間也兩商者少商商陽也兩井者天井肩井也言此六穴相依而分別於手之兩支也

為見取穴之法有分寸先審自意次觀肉分

此言取量穴法必以男左女右中指与大指相屈如環取内側紋兩角為一寸各隨長短大小取之此乃同身之寸先審病者是何病屬何經用何穴於我意次察病者瘦肥長短大小肉分骨節髮際之間量度以取之

或伸屈而得之或平直而安定

伸屈者如取環跳之穴必須伸下足屈上足以取之乃得其穴平直者或平卧而取之或正坐而取之或直立而取之自

然安定如承漿在唇下宛宛中之類也
在陽部筋骨之側陷下為真在陰分郄膕之間動脈相應
陽部者諸陽之經也如合谷三里陽陵泉等穴必取侠骨側
指陷中為真也陰分者諸陰之經也如箕門五里太冲等穴
在屈心之間必以動脈應指乃始為真穴也
取五穴用一穴而必端取三經用一經而可正
此言取穴之法必須點取五穴之中而用一穴則可為端的
矣若用一經必雖取三穴而正一經之是非矣
頭部與肩部詳分督脈與任脈異定 異當作易
頭部與肩部則穴繁多但醫者以自意詳審大小肥瘦而分

之督任二脉值乎背腹行中而有分寸則易定也

明標與本論刺深浅之經

標本者非止一端也有六經之標本有天地陰陽之標本有傳病之標本夫六經之標本者足太陽之本在足跟上五寸標在目也足少陽之本在竅陰標在耳也足陽明之本在厉兊標在人迎頰挾項顙也足太陰之本在中封前上四寸標在背脾俞與舌本也足少陰之本在內踝上三寸中標在背腎俞與舌下兩脉也足厥陰之本在行間上五寸中所標在背肝俞也手太陽之本在手外踝後標在命門之上一寸也手少陽之本在小指次指之間上一寸標在耳後上角下外

背也手陽明之本在肘骨中上別陽標在額下合鉗上也手太陰之本在寸口之中標在腋內動脉也手少陰之本在銳骨之端標在背心俞也手厥陰之本在掌後兩筋之間二寸中標在筋下三寸也此乃十二經之行取也

經云病有標本刺有逆從淺深之理凡刺之方必別陰陽前後相應逆從得施標本相移故曰有其在標而求之於標有其在本而求之於本有其在本而求之於標有其在標而求之於本故治有取標而得者有取本而得者有逆取而得者有從取而得者故知逆從正行無間明知標本者萬舉萬當不知標本者是謂妄行夫陰陽標本逆從之道也小而言大一

而知百病之害少而多淺而博可以言一而知百也以淺而知深察近而知遠標本易言而世人識見無能及也治反為逆治得為從先病而後逆者先逆而後病者先病而後生寒者先熱而後生病此五者俱治其本也先熱而後中滿者治其標先病而後泄者治其本先泄而後生他病者治其本必且調之乃治其他病先病而後中滿者治其標先中滿而後煩心者治其本大小便不利治其標大小便利治其本大小不利而病生病者治其本病發而有餘本而標之先治其本後治其標病發而不足標而本之先治其標後治其本又云得病日為本傳病為標也淺深者刺陽經必中榮須淺而卧

針無傷於衛也刺陰分必中衛須淺而立針無損於榮也此
謂陰陽標本淺深之道也
住痛移疼取相交相貫之逕
此言用針之法有住痛移疼之功者必先以針左行左轉而
得九數復以右行右轉而得六數此乃陰陽交貫之道也經
脉亦有交貫如太陰肺之列缺交於陽明大腸之路陽明胃
之豐隆別走於少陽之逕此之謂也
豈不聞臟腑病求門海俞募之類俞者五臟六腑之俞也
門海者如章門氣海之類俞者五臟六腑之俞也俱在背部
二行中募者臟腑之募肺募中府心募巨闕胃募中脘肝募

期門膽募日月脾募章門腎募京門大腸募天樞小腸募開元但三焦包絡膀胱而無募矣此言五臟六腑之有病必取此門海俞募之穴而刺之最微妙矣

經絡滯而求原別交會之道

原者十二經之原也別陽別也交陰交也會八會也夫十二原者膽原丘墟肝原太冲小腸原腕骨心原神門胃原冲陽脾原太白大腸原合谷肺原太淵膀胱原京骨腎原大谿三焦原陽池包絡原大陵八會者血會膈俞氣會膻中脉會太淵筋會陽陵泉骨會大杼髓會絕骨臟會章門腑會中脘也此言經絡血氣凝結不通者必取此原別交會之穴而刺之

更穷四根三結依標本而刺無不痊

根結者十二經之根結也靈樞經云太陰根于隱白結于太倉也少陰根于湧泉結于廉泉也厥陰根于大敦結于玉堂也太陽根于至陰結于目也陽明根于厲兑結于鉗耳也少陽根于竅陰結于耳也手太陽根于少澤結于天窓支正也手少陽根于關冲結于天牖外關也手陽明根于商陽結于扶突偏歷也手三陰之經下載不敢強註又云四根者耳根鼻根乳根脚根也三結者胸結肢結便結也此言能究根結之理依上文標本之法刺之則疾無不愈也

但用八法五門分主客而刺無不效

八法者奇經八脉也公孫仲脉胃心胸内關陰維下捴同臨泣膽經連帶脉陽維目鋭外關逢後谿督脉内眥頸申脉陽蹻絡亦通列缺肺任行肺系陰蹻照海膈喉嚨五門者天地配合分於五也甲與己合乙與庚合丙與辛合丁與壬合戊與癸合也主客者公孫主内關客也臨泣主外關客也後谿主申脉客列缺主照海客也此言名用八法必以五門推時取穴先主後客而無不効也詳載于後

八脉始終連八會本是紀綱

八脉者。即奇經也。註見上文。八會者。氣血脉筋骨髓臟腑之八會也。亦註見前紀綱者如網之有綱也。此言奇經八脉起

止連及八會本是人身經脉之綱領也

十二經絡十二原是一樞要

十二經十五絡十二原穴俱註見前。此言十二原者乃十二經絡出入門户之樞紐也

一日取六十六穴之法方見幽微

六十六穴者即子午流注井滎俞原經合也陽干注腑三十六穴陰干注臟三十穴共成六十六穴具載後子午流注圖中。此言經絡一日一周于身歷行十二經穴當此之時流注之中一穴用之則幽微之理可見矣

一時取一十二經之原始知要妙

十二經原註見于前此言一時之中當審此日是何經所主當此之時該取本日此經之原始穴而刺之則流注之法玄妙始可知矣

原夫補瀉之法非呼吸而在手指

此言補瀉之法。非但呼吸而在乎手之指法也。法分十四者循門提按彈撚搓盤推內動搖瓜切進退出攝者是也。法則如斯巧拙在人之活法。備詳金針賦內

速效之功要交正而識本經

交正者如大腸與肺為傳送之府。心与小腸為受盛之官。脾与胃為消化之宮。肝与膽為清淨之位。膀胱合腎陰陽相通

表裏相應也本經者受病之經如心之病必取小腸之穴兼之餘倣此言能識本經之病。又要認交經正經之理。則針之功必速矣。

交經繆刺左有病而右畔取

繆刺也。刺絡脉也。右痛而刺左。左痛而刺右。此乃交經繆刺之理也

瀉絡遠針頭有病而脚上針

三陽之經。從頭下足故言頭有病必取足穴而刺之

巨刺與繆刺各異

巨刺者刺經脉也。痛在左而右脉病者則巨刺之左痛刺右

右痛刺左中其經也繆刺者刺絡脉也身形有痛九候無
則繆刺之右痛刺左〻痛刺右中其絡也經云左盛則右病
右盛則左病亦有移易者右痛未已而左脉先病如此者必
巨刺之中其經非絡脉也故絡病其經与經脉繆處故曰繆
刺此刺法之相同但一中經一中絡之異耳

微針與妙刺相通

微針者刺之巧也妙刺者針之妙也言二者之相通

觀部分而知經絡之虛實

言針入肉分則以天人地三部而進必察其得氣則内外虛
實又云察脉之三部則知何經虛何經實也

視沉浮而辯臟腑之寒温

言下針之後看針氣緩急可决臟腑之寒熱也

且夫先令針耀而慮針損次藏口內而歆針温

言歆下針之時必先令針光耀看針莫有損壞次將針含於口內令針温暖与榮衛相接無相觸犯也

目無外視手如握虎心無內慕如待貴人

此戒用針之士貴乎專心誠意而自重也令目無他視如握虎恐有傷也心無他想如待貴人恐有責也經云九刺之道必覌其部心無別慕手如擒虎猶待貴人不知日暮着意留心不失其所以之謂也

左手重而多按欲令氣散右手輕而徐入不痛之因

言欲下針之時必先以左手大指爪甲於穴上切之則令其氣散以右手持針輕〻徐入此乃不痛之因也

空心恐怯直立側而多暈

空心者未食之前此言無刺飢人其氣血未定則令人恐懼有怕怯之心或直立或側臥必有眩暈之咎也

昏目沁掐坐臥平而後昏

此言欲下針之時必令患人勿視所針之處以手爪甲重切其穴或臥或坐而無昏悶之患也

推於十干十变知孔穴之開闔

十干者甲乙丙丁戊巳庚辛壬癸也十変者逐日臨時之變也備載灵龜八法之中故得時為之開失時為之闔苟能明此則知孔穴之得失也

論其五行五臟察日時之旺衰

五行五臟俱註見前此言病於本日時之下得五行生者旺受五行尅者衰知心之病得甲乙之日時者生旺遇壬癸之日時者尅衰餘皆倣此

伏如横弩應若發機

此言用針之捷效如射之發中也

陰交陽别而定血暈陰蹻陰維而下胎衣

陰交穴有二一在臍下一寸一在足内踝上三寸名三陰之交也此言二穴能定婦人之血暈又言照海内関二穴能下産婦之胎也

痺厥偏枯迎隨俾經絡接續

痺厥者四肢厥冷麻痺也偏枯者中風半身不遂偏枯也言治此症必須接氣通经更以迎隨之法使血脉貫通經絡接續也

漏崩帶下温補使氣血依歸

漏崩帶下者女子之疾也言有此症必須温鍼待暖以補之使榮調和而歸依也

靜以久留停針待之

此言下針之後必須靜而久停之

必准者取照海治喉中之閉塞端的處用大鍾治心内之呆痴

照海等穴俱載折量法中故不重録

大抵疼痛實瀉痒麻虚補

此言疼痛者熱宜瀉之以凉痒麻者冷宜補以暖

體重節痛而俞居心下痞滿而井主

俞者十二經中之俞穴井者十二經中之井也

心脹咽痛針太冲而必除脾冷胃疼瀉公孫而立愈胸滿腹痛

刺内關脇痛肋疼針飛虎

太冲等穴俱載後畫但飛虎穴即童門穴也文云是支溝穴
以手於虎口一飛中指盡處是穴也
筋攣骨痛而補魂門体熱勞嗽而瀉魄户頭風痛刺申脉与金
門眼痒眼痛瀉光明於地五瀉陰郄止盗汗治小兒骨蒸刺偏
歷利小便醫大人水蠱中風環跳而宜刺虚損天樞而可取也
五者即地五會也
由是午前卯後太陰生而疾温離左酉南月死朔而速冷
此以月生死為期午前卯後者辰巳二時也當此之時太陰
月之生也是故月廓空無瀉宜疾温之离左酉南者未申二
時也當此時分太陰月之死也是故月廓盈無補宜速冷之

将一月而比一日也經云月生一日一痏二日二痏至十五日十五痏十六日十四痏十七日十三痏漸退至三十日一痏也月望已前謂之生月望已後謂之死午前謂之生午後謂之死也

推捫弹努留吸毋而堅長

循者用針之後以手上下循之使血氣徃來而已捫者云針之後以手捫閉其穴使氣不泄也弹努者以手輕弹而補虛也留吸毋者虛則補其毋須待熱之至後留吸而堅長也

爪下伸疾呼子而噓短

爪下者切而下針也伸提者施針輕浮豆許曰提疾呼子者

实則瀉其子務待寒至之後去之速而嘘且短矣

動退空歇迎奪右而瀉凉

動退以針搓動而退如氣不行將針伸提而已空歇撤手而停針迎以針逆而迎奪即瀉其子也如心之病必瀉脾胃之子此言欲瀉必施此法也

推内進搓隨濟而補暖

推内進者用針推内而入也搓者猶如搓線之狀慢慢轉針勿令太緊隨以針順而隨之濟則濟其母也如心之病必補肝膽之母此言欲補必用此法也

慎之大凡危疾色脉不順而莫針

慎之者戒之也此言有危篤之疾必觀其形色更察其脉若相反者莫与用針恐劳而無功反獲罪也

寒熱風陰飢飽醉劳而切忌

此言無針大寒大熱大風大陰雨大飢大飽大醉大劳凡此之類决不可用針實大忌也

望不補而晦不瀉弦不奪而朔不濟

望每月十五不也晦每月三十日也弦有上下下弦上弦或初七或十七下弦或二十二或二十三也朔每月初一日也

凡值此二不可用針施法也暴忌之疾豈可拘於此哉

精其心而窮其法無灸艾而壞其干

此言灸也勉醫者宜專心究其穴法無著悞於著艾之功庶
免干犯於禁忌而壞人之皮肉也
正其理而求其原勉投針而失其位
此言針也勉學者要明其針道之理察病之原則用針不失
其所也
避灸處而和四肢四十有九禁刺處而除六腧二十有二
禁灸之穴四十五更和四肢之井共四十九也禁針之穴二
十二外除六腑之俞也俱載于前
抑又聞高年抱疾未瘥李氏刺巨闕而復甦太子暴死為厥越
人針維會而復醒一井曲池甄權刺臂痛而復射懸鍾環跳

華佗刺躄足而立行秋大針腰俞而鬼免沉痾王纂針交俞而妖精立出取肝俞與命門使瞽目視秋毫之末刺少陽與交別俾聾耳夫聽夏蚋之聲

此引先師用針有此立効之功以礪學者用心之誠耳且夫去聖逾遠此道漸墜或不得意而散其學或愆其能而犯禁忌愚庸智淺難契於玄言至道淵深得之者有幾偶述斯言不敢示諸明達者焉庶幾乎童蒙之心啓

此先師嘆聖賢之古遠針道之漸衰理法幽深難造其極復以譔賦之言以結之吁嘗其師乃萬世之師窮道契玄尚自謙言以示後學世之徒知一二而自矜自伐者豈不愧哉

新鍥針灸全書上卷終

針灸全書卷下之一

新鍥秘傳常山敬齋楊先生針灸全書卷之一

建陽 九十翁 西溪陳言 著
御醫 直隸 長州 懷仁 張應試 校

○十二經脉歌

手太陰肺中焦生下絡大腸出賁門上膈屬肺從肺系〻横出腋臑中行肘臂寸口上魚際大指內側爪甲根支絡還從腕後出接次指屬陽明經此經多氣而少血是動則病喘與咳肺脹膨〻缺盆痛兩手交瞀為臂厥所生病者為氣咳喘渴煩心胸滿結臑臂之外前廉痛小便頻數掌中熱氣虛肩背痛而寒氣盛亦疼風汗出欠伸少氣不足息遺失無度溺変

別
陽明之脉手大腸次指内側起商陽循指上連出合谷兩筋岐
骨循臂肪入肘外髃循臑外肩端前髃柱骨傍泛肩下入缺
盆内絡肺下膈屬大腸支泛缺盆上入頸斜貫頰前下齒當
環出人中交左右上侠鼻孔注迎香此經血盛氣亦盛是動
頸腫并齒痛所生病者為鼻衄目黄口乾喉痺生大指次指
難為用肩臑外測痛相仍
胃足陽明交鼻起下循鼻起下循鼻外下入齒還出侠口繞承
漿頤大迎頰車裏耳前髮際至額顱支下人迎缺盆底下膈
入胃絡脾宫直者缺盆下乳内一支幽門循腹中下行直合

氣冲逢遂由髀関抵膝臏骭跗中指内関同一支下膝注三里前出中指外関通一支別走足跗指大指之端經盡矣此經多氣復多血是動欠伸面顏黑淒淒之惡寒畏見人忽聞木聲心振惕登高而歌棄衣走甚則腹脹乃賁嚮凡此諸疾皆骭厥所生病者為狂瘧溫溫汗出鼻流血口喎脣裂又喉痹膝臏疼痛腹脹結氣膺伏兎骭外廉足跗中指俱痛徹有餘消穀渴溺色黃不足身前寒振慄胃房脹滿食不消氣盛身前皆有熱

太陰脾起足大指上循内側白肉際核骨之後内踝前上臑循骭脛膝裏股内前廉入腸中屬脾絡胃與膈通俠喉連舌散

舌下支絡泛胃注心宫此經氣盛而血衰是動具病氣所為
食入即吐胃脘痛更蕪身体痛難移腹脹善噫舌本強得後
與氣快然衰所生病者舌亦痛体重不食亦如之煩心下仍
急痛泄水溏瘕寒瘧隨不卧強立股膝腫疸發身黄大指痿
手少陰脉起心中下膈直與小腸通支者還從肺系走直上咽
喉繫目瞳直者上肺出腋下臑後肘内少海泛臂内後廉抵
掌中兊骨之端注少冲多氣少血屬此經是動心脾痛難任
渴欲飲水咽乾燥所生脇痛目如金脇臂之内後廉痛掌中
有熱向經尋
手太陽經小腸脉小指之端起少澤循手外廉出踝中循臂骨

出腋内側上循臑外出後廉直過肩解繞肩甲交肩下入缺
盆内向腋絡心循咽嗌下膈抵胃屬小腸一支缺盆貫頸頰
至目兊眥却入耳復從耳前仍上頰抵鼻升至目内眥斜絡
於顴別絡接此經少氣還多血是動則病痛咽嗌頷下腫兮
不可顧肩如拔兮臑似折所生病兮主肩臑耳聾目黃腫腮
頰肘臂之外後廉痛部分猶當細分別
足經太陽膀胱脉目内眥上懸額尖支者巔上至耳角直者從
巔腦後懸絡腦還出別下項仍循肩髆俠脊邊抵腰膂腎膀
胱内一支下與後陰連貫臀斜入委中穴一支髆左右別貫
胛俠脊過髀樞臂内後廉膕中合下貫踹内外踝後京骨之

下脂外側是經血多氣少也是動頭痛不可當項如拔弓腰
似折髀彊痛徹脊中央膕如結兮腨如裂是為踝厥筋乃傷
所生瘧痔小指廢頭顖項痛目色黃腰尻膕脚痛連背淚流
鼻衄及顛狂

足經腎脉屬少陰小指斜透湧泉心然骨之下內踝後别入跟
中腨內侵出膕內廉上股內貫脊屬腎膀胱臨直者屬腎貫
肝膈入肺循喉舌本尋支者從肺絡心內仍至胸中部分深
此經多氣而少血是動病肌不欲食喘嗽喘血喉中鳴坐而
欲起面如垢目視䀮䀮氣不足心懸如飢常惕惕所生病者
為舌乾口熱咽痛氣貫逼股內後廉并脊疼心腸煩痛疸而

瘈瘲厥嗜卧躰怠惰足下熱痛皆腎厥

手厥陰心主起胸屬包下膈三焦宮支者循胸出脇下〻連腋三寸同仍上抵腋循臑内太陰少陰两經中指透中冲支者别小指次指絡相通是經少氣原多血是動則病乎心熱肘臂攣急腋下腫甚則胸脇支滿結心中澹〻或大動善笑目黄面赤色所生之者為心煩心痛掌熱病之則瀉

手經少陽三焦脉起自小指次指端两指岐骨手腕表上出臂外两骨間肘後臑外循肩上少陽之後交别傳下入缺盆膻中分散絡心膈高裹穿着膻中缺盆上〻項耳後角旋屈下至顒仍注頰一支出耳入耳前却從上關交曲頰至目内眥

乃盡焉斯經少血還多氣是動耳鳴喉腫痺所生病者汗自
出耳後痛兼目銳眥肩臑肘臂外眥疼小指次指亦如廢
足脉少陽膽之經始從兩踝銳眥生抵頭循角下耳後腦空風
池次第行手少陽前至肩上交少陽右上缺盆支者耳後貫
耳内出走耳前銳眥循一支銳眥大迎下合手少陽抵項根
下加頰車缺盆合入胸貫膈絡肝經屬膽仍從脇裏過下入
氣街毛際縈橫入髀厭環跳内直者缺盆下腋膺過季脇下
髀厭内出膝外廉是陽陵外輔絕[illegible]踝前過足跗小指次指
分一支別從大指去三毛之際接肝經此經多氣乃少血是
動口苦善大息心脇疼痛難轉移面塵足熱體無擇所生頭

痛連銳眥缺盆腫痛併兩腋馬刀挾癭生兩旁汗出振寒瘧
瘧疾胸脇髀膝至胻骨絶骨踝痛及諸節
厥陰足脉肝所終大指之端毛際叢足跗上廉太冲分踝前一
寸入中封上踝交出太陰後循膕內廉陰股充環繞陰器抵
小腹俠胃屬肝絡胆逢上貫膈裏布脇肋俠喉項顙上繫同
脉上巔會督脉出支者還生目系中下絡頰裏還脣內支者
便從膈肺通是經血多氣少為是腰動疼俛仰難男疝女人
小腹腫面塵脫色及咽乾所生病者為胸滿嘔吐同泄小便
難或時遺溺并狐疝臨証還須仔細看

○十二經本一脉歌

中焦肺起脉之宗出手大指之端冲大腸即起手次指上行環
口交鼻裏胃經源又下臭交出足大指之端毛脾脉絶起指
端上注於心中少陰向心經中之入掌循手内端出小指行
小腸從手小指起上斜絡肝目内眥膀胱經從目内生至足
小指外側行臂脉動于小指下起注胸中過腹胯心包出處
又連胸循手小指次指中三焦起手次指側環走耳前目銳
息貽家接生目銳傍走足大指三毛上足肝就起三毛際注
入肺中循不已

○經穴起止歌

手肺少商中府起大腸商陽迎香二足胃厲兑頭維三脾部隱

白大包四膀胱睛明至陰間腎經湧泉俞府位心包中冲天池隨三焦關冲耳門繼膽家竅陰董子窌厥肝大敦期門已手心少冲極泉來小腸少澤聽宮去十二經始終歌學者銘於肺腑

〇十五脉絡歌

人身絡脉一十五我今逐一從頭數手太陰絡爲列缺手少陰絡即通里手厥陰絡名内關手太陽絡支正是手陽明絡徧歷當手少陽絡外關位足太陽絡號飛揚足陽明絡豐隆係足少陽絡是光明足太陰絡公孫寄足少陰絡爲大鍾足厥陰絡蠡溝配陽督之絡號長強陰任之脉絡屏翳脾之大絡

火包是十五絡穴君須記

○經脉氣穴多少歌

多氣多血經須記火腸手經足經胃少血多氣有六經三焦膽
腎心脾肺多血少氣心包絡膀胱小腸肝所異

○禁針穴歌

禁針穴道要先明腦户顖會及神應絡却玉枕角孫穴顱顖承
泣隨承灵神道灵墻膻中忌水分神闕并會陰横骨氣冲手
五里箕門承筋及青灵更加臂上三陽絡二十二穴不可針
孕婦不宜針合谷三陰交内亦通倫石門針灸應須知女子
終身無妊娠外有雲門并鳩尾缺盆客主人莫称肩井深淂

人悶倒三里急補人還平

○禁針穴歌

針灸之穴四十五承光啞門及風府天柱素髎臨泣上睛明攢竹迎香數禾窌顴窌絲竹空頭維下關与脊中肩貞心俞白環俞天牖人迎共乳中周榮淵腋并鳩尾腹哀少商魚際位經渠天府及中冲陽関陽池陽五會隱白漏谷陰陵泉條口犢鼻還陰市伏兎髀関委中穴殷門申脉承扶忌

○血忌歌

行針須要明血忌正丑三寅二之未四申五卯六酉宮七辰八戌九居巳十亥十一午正當臘子更加逢日閉

○逐日人神閑

初一十一廿一起足拇鼻柱手小指、初二十二廿二日外踝髮際外踝位、初三十三廿三、股内牙齒足及肝、初四十四廿四右腰間胃脘陽明手、初五十五廿五、并口内遍身足陽明、初六十六廿六、同手掌前又在胸、初七十七廿七、内踝氣冲及在膝、初八十八廿八、辰脘内股内又在陰、初九十九廿九在尻在膝脛後初十二十三十日、腰背内踝足跣覔

○九宫尻神歌

尻神所在足根由坤内外踝聖人留震宫牙腨分明記巽位还歷乳口頭中宫肩骨連尻骨面目背從乾上遊手髆兊宫难

破灸艮宮腰項也須离宮膝肋針难下坎肘還肚脚求為声

精休尻神法萬病無干禁忌憂

尻神之啚

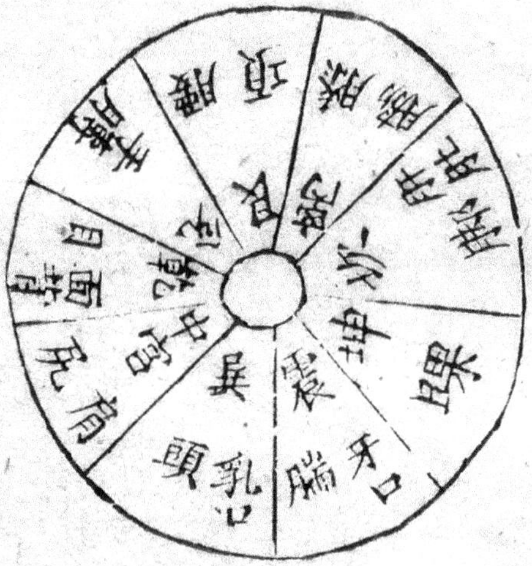

此乃神農所制一歲起坤二歲震逐年順飛九宮周而復始行年到處則所生敗体切忌針灸若悞犯之重則喪命輕則發癰疽之疾也

大乙人神歌

立春艮上起天留戊寅巳丑左足求春分左脇倉門震乙卯日

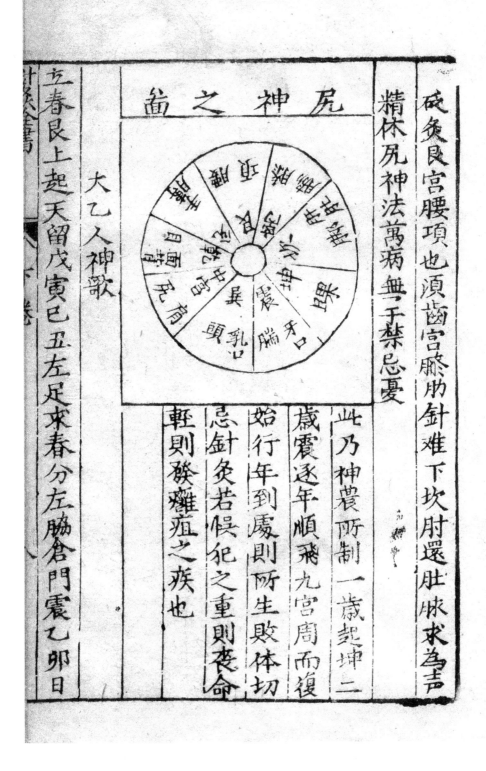

見定為仇立夏戊辰巳巳巽陰絡宮中左手愁夏至上天丙
辰日正直應喉咽首頭五秋玄委宮右手戊申巳未坤上遊
秋分倉果西方兌辛酉從右脇謀立冬左足加新洛戊戌
巳亥乾位收冬至坎方臨叶蟄壬子腰尻下竅流五臟六腑
并臍腹招遥諸戊巳中州潰治癰疽當須避犯其天忌疾難
瘳

○孫思邈針十三鬼穴歌

百邪顛狂所為病針有十三穴須認凡針之躰先鬼宮次針鬼
信無不應一一從頭逐一求男從左起女從右一針人中鬼
宮停左邊下針右出針第二手大指甲下名鬼信刺三分深

三針足大指甲下名曰鬼壘入二分四針掌後大陵穴入寸五分為鬼心五針申脉名鬼路火針三下七鋥々第六却尋大杼上入髮一寸名鬼枕七刺耳垂下五分名曰鬼床要溫八針承漿名鬼市從左出右君須記九針間使鬼市上十針上星名鬼堂十一陰下縫三壯女玉門頭為鬼藏十二曲池名鬼臣火針仍要七鋥々十三舌頭當舌中此穴須名是鬼封手足兩边相對刺若逢孤穴只單通此是先師真口訣狂猖惡鬼走無蹤

長桑君天星秘訣歌

天星秘訣少人知此法專分前後施若是胃中停宿食後尋三

里起璇璣脾病血氣先合谷後刺三陰交莫遲如中鬼邪先
間使手臂攣痺取肩髃却若轉筋并眼花先針承山次内踝
脚氣痠疼肩井先次尋三里陽陵泉如是是小腸連臍痛先刺
陰陵後湧泉耳鳴腰痛先五會次針耳門三里内小腸氣痛
先長强後刺大敦不要忙足緩難行先絕骨次尋條口及冲
陽牙疼頭痛兼喉痺先刺二間後三里胸膈痞滿先陰交針
到承山飲食喜肚腹浮腫脹膨膨先針水分瀉建里傷寒過
經不出汗期門三里先後看寒瘧面腫及腸鳴先取合谷後
内庭冷風濕痺針行何處先取環跳次陽陵指痛攣急少商
好依法施之無不灵此是桑君真口訣時常莫作等閑輕

馬丹陽天星十二穴并治雜病歌

三里内庭穴曲池合谷徹委中配承山太冲崑崙穴環跳与陽陵通里并列缺合擔用法擔合截用法截三百六十穴不出十二訣治病如神灵渾如湯潑雪北斗降真機金鎖教開徹至人可傳受匪人莫浪說

三里足膝下三寸兩筋間能除心腹痛善治胃中寒腸鳴并積聚腫滿脚脛酸傷寒羸瘦損氣蠱疾諸般人過三旬後針灸眼重观取穴平足取去病不為難

内庭足指内胃脘屬陽明善療四肢厥喜静悪聞声耳内喉鳴痛数穴及牙疼瘧疾不思食針後便醒醒

曲池曲肘裏曲骨陷中求能治肘中痛偏風手不收弯弓開不得臂瘓怎梳頭喉閉促欲死發熱更無休遍身風疙瘙針後即時瘳

合谷在虎口兩指岐骨間頭疼并面腫瘧疾熱又寒体熱身汗出目暗視朦朧牙疼并鼻衄口禁更難言針入看深浅令人病自安

委中曲䐐裏動脉正中央腰重不能舉沉々俠脊梁風痹及筋轉熱病不能當膝頭難伸屈針入即安康

承山在魚腰腨腸分肉間善理腰疼痛痔疾大便難脚气足下腫兩足尽寒酸霍乱轉筋急穴中刺便安

太冲足大指節后三寸中動脉知生死能除驚癇風咽喉腫心脹兩足不能動七疝偏墜腫眼目似雲矇亦能療腰痛針下有神功

崐崘足外踝后跟微脉尋膊重腰尻痛陽踝更連陰頭疼脊背急暴喘滿中心踏地行不得動足即伸吟若欲求安好須尋此穴針

環跳在足髀側臥下足舒上足屈乃得針能廢毒軀冷風并冷痺身体似纏拘腿重腨痛甚屈伸轉側噎有病須針灸此穴最難危

陽陵泉膝下外廉一寸中膝腫并麻木起坐腰背重面腫胸中

蒲冷痺与偏風努力坐不得起卧似衰翁針入五分後神功

實不同

通里腕側後掌後一寸中欲言〻不而懊憹在心中實則四肢

重頭腮面頰紅平声仍欠數喉閉気难通虛則不能食咳嗽

面無容毫針微〻刺方信有神功

列缺腕側上茁指手交入專療偏頭患偏風肘木麻痰涎頻壅

上口禁不開牙若能明補瀉应手疾如拿

〇四總穴歌

肚腹三里留腰背委中求頭項尋列缺面口合谷收

千金十一穴歌

三里内庭穴肚腹中妙訣曲池共合谷頭面病可徹腰背痛相連委中崑崙穴胸項如有痛后谿并列缺環跳与陽陵膝前兼腋脇可補即留久當瀉即疎泄三百六十名十二千金穴

○治病十一証歌

攢竹絲竹主頭痛偏正皆宜向此針更去大都徐瀉動風池又刺三分深曲池合谷先針瀉永与除痾病不侵依此下針无不应管教隨手便安寧

頭風頭痛共牙疼合谷三間兩穴尋更向大都針眼痛太淵穴内用行針牙痛三分針吕細齒疼依前指上明更推大都左右交互相迎手細尋

聦会無之與聽宫七分針瀉耳中聋耳門又瀉三分許更加七
壯灸听宫大腸経内將針瀉曲池合各七分中医者若能明
抉理針下之時便見功
肩背并和肩膊疼曲池合谷七分深未愈天澤加一寸更於三
間次第行各入七分於穴内少風二府刺心経穴内淺深依
法用當時蠲疾両之経
咽喉以下至於臍胃脘之中百病危心氣痛時胸結硬傷寒嘔
噦悶涎隨列鈌下針三分許三分針瀉到風池二足三間并
三里中冲疫刺五分休
于西難来刺腕骨五分針瀉要君知與隂経渠并通里一分針

渾汗淋漓足指三間又三里大指各刺五分宜汗至如右通
遍体有人明此是醫師
口[illegible]又涎難開百病攻精神昏倦多不語風池合
谷用針通兩手三間隨後瀉三里兼之共太冲各入五分於
穴內迎隨得法有神功
風池手足指諸間右瘓偏風左曰癱各刺五分隨後瀉更灸七
壯便身安三里陰交行氣瀉一寸三分量病看每穴又加三
七壯自然癱瘓即時安
瘧疾將針刺曲池經長合谷共相宜五分針刺於二穴瘧病纏
身上浮腫未愈更多一間刺五分深刺莫憂疑又兼氣痛增

寒热間使行針莫用遲
腿疼腰疼痞氣攻髖骨穴内七分穷更針風市兼三里一寸三分補瀉同又去阴交瀉一寸行間仍刺五分中刚柔進退随呼吸去疾除痾捻指工
肘膝疼時刺曲池進針一寸是便宜左病針右右針左依此三分瀉氣奇膝痛三分針犢鼻三里阴交要七次但能仔細尋其理刼病之功在片時

論子午流注之法

夫子午流注者刚柔相配阴阳相合氣血循环時穴開闔也何以子午言之曰子時一刻乃一阳之生至午時一刻乃一阴

之生故以子午分之而淂乎中也流者往也注者住也天干有十經有十二甲膽乙肝丙小腸丁心戊胃己脾庚大腸辛肺壬膀胱癸腎餘兩經者乃三焦包絡也三焦乃阳气之父包絡乃阴血之母此二經雖寄於壬癸亦分派于十干且每經之中有井荥俞經合以配金水木火土是故阴井木而阳井金阴荥火而阳荥水阴俞土而阳俞木阴經金而阳經火阴合水而阳合土矣經中又有返本还原者乃十二經出入之門户也阳經有原遇俞穴并过之阴經无原以俞穴即代之是以甲出丘墟乙太冲之例又按千金云六阴經亦有原穴乙中都丁通里己公孫辛列缺癸水泉包絡内關也故阳

日気先行而血後随也陰日血先行而気後随也得時為之開失時為之闔陽干註腑甲丙戊庚壬而重見者気納於三焦陰干注臟乙丁己辛癸而重見者血納包絡如甲日甲戌時以開膽井至戊寅時正當胃俞而又并過膽原重見甲申時気納三焦滎穴屬水甲屬木是以水生木謂甲合還元化本又如乙酉時以開肝井至己丑時當脾之俞并過肝原重見乙未時血納包絡滎穴屬火乙屬木是以木生火也餘皆依此俱以子母相生陰陽相濟也陽日無陰時陰日無陽時故甲与己合乙与庚合丙与辛合丁與壬合戊與癸合也何以甲与合曰中央戊己屬土畏東方甲乙之木所尅戊乃陽

為凡己屬陰為妹戊兄遂將己妹嫁與木家於甲為妻庶得陰陽和合而不相傷所以甲與己合餘皆然子午之法盡於此矣

○五虎建元日時歌

甲己之日丙寅起乙庚之辰戊寅頭丙辛便從庚寅起丁壬、、寅順行求戊癸甲寅定時候六十首法助醫流

○十二経納天干歌

甲膽乙肝丙小腸丁心戊胃己脾鄉庚屬大腸辛屬肺壬屬膀胱癸腎藏三焦亦向壬中寄包絡同帰入癸方

○十二経納地支歌

肺寅大卯胃辰宮脾巳心午小未中申胱酉腎心包戌亥子三

膽丑肝通

○十二經之原歌

甲出坵墟乙太冲丙居腕骨是原中丁出神門原內過戊胃

氣可通己出太白庚合谷辛原本出太淵同壬歸京骨曲

池穴癸云太谿大陵中

子午流注十二經井滎俞原經合歌

手大指內太陰肺少商為井滎 際太淵之穴號俞原行入經

渠尺澤類

盐指陽明曰大腸商陽二間三間詳合谷陽谿依穴取曲池為

㑹正相當

中指厥陰心包絡中冲掌中勞宮索大陵為俞本是原間使從

容求曲澤

無名指外是三焦關冲尋至液門頭俞原中渚陽池取經合支

溝天井求

手小指内少陰心少冲少府井滎尋神門俞穴為原穴灵道仍

須少海真

手小指外屬小腸少澤流於前谷内後谿腕骨之俞原陽谷為

經合少海

足大指内太陰脾井滎隱白大都推太白俞原商丘穴陰陵泉

合要須知
足大指端厥陰肝太都為井滎行間太冲為俞原都是經在中
封合曲泉
足第二指陽明胃厲兊内庭須要會陷谷冲陽經觧谿三里膝
下三寸是
足掌心中少陰腎湧泉然谷天然定大谿腎俞又為原復溜陰
谷能醫病
足第四指少陽經竅陰為井俠谿滎臨泣坵墟完陽輔陽
陵泉認真
足小指外屬膀胱至陰通谷井滎當束府次尋京骨完崑崙經

合委中央

○子午流注逐日按時定穴歌

甲日戌時膽竅陰丙子時中前谷榮戊寅陷谷明陽俞返本坵墟本在寅庚辰經注陽谿穴壬午膀胱委中尋甲申時納三焦求榮合天干取液門

乙日酉時肝大敦丁亥時榮少府心己丑太白太冲穴辛卯經渠是肺經癸巳腎宮陰谷合乙未勞宮水穴榮

丙日申時少澤當戊戌內庭治脹康庚子時在三間俞本原腕骨可祛黃壬寅經水崑崙上甲辰陽陵泉合長丙午時受三焦木中渚之中子細詳

丁日未時心少冲巳酉大都脾土逢辛亥太淵神門穴癸丑復溜腎水通乙卯肝經曲泉合丁巳包絡太陵中

戊日午時厲兊先庚申榮穴二間迁壬戌膀胱尋束骨冲陽土穴必還原甲子胋經陽輔是丙寅小海穴安然戊辰氣納三焦脉經火支溝刺必痊

己日巳時隱白始辛未時中魚際取癸酉大谿太白原乙亥中封内踝比丁丑時合少海心巳卯間使包絡止

庚日辰時商陽居壬午膀胱通谷中甲申臨泣為俞木合谷金原返本帰丙戌小腸陽谷火戊子時居三里宜庚寅氣納三焦合天井之中不用疑

辛卯時少商本癸巳然谷何須付乙未太冲原太淵丁酉心經始道引巳亥脾合陰陵泉辛丑曲澤包絡準

壬日寅時起至陰甲辰胋脉俠谿榮丙午小腸後谿俞返本京骨本原尋三焦寄有陽池穴返本還原似的親戊申時注解谿胃大腸庚戌曲池真壬子氣納三焦寄井穴關冲一片金關冲屬金壬屬水子母相生恩義深

癸日亥時井湧泉乙丑行間穴必然丁卯俞穴神門是本尋腎水大谿原包絡大陵原并過巳巳商丘内踝邊辛未肺經合尺澤癸酉中冲包絡連子午截時安定穴留傳後學莫忘言

右子午流注之法無以考焉雖針灸四書所載尤且

不全還元返本之理氣血所納之穴俱隱而不具于今將流注按時定穴編成歌括一十首使後之學者易爲記誦臨用之時不待思忖且後篇乃先賢所綴故不敢廢備載于後庶有所証耳原篇十二今分定十耳

足少陽膽之經　甲主

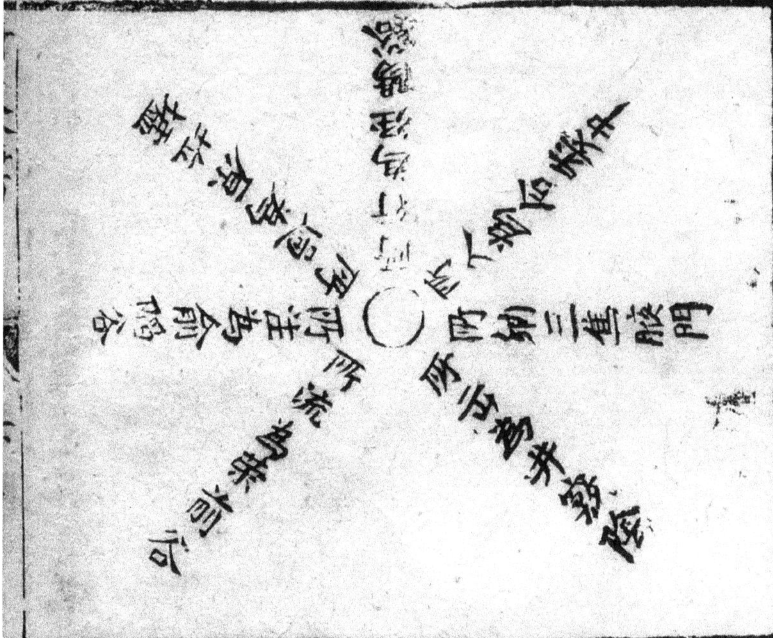

與己合　膽引氣行

〇甲日

甲戌時　開膽　為井　金

丙子時　小腸　滎　水

戊寅時　胃　俞　木

所過胋原坵墟穴

木原在寅

庚辰時　大腸　經　火

壬午時　膀胱　合　土

甲申時　氣納三焦為水故

水能木謂甲合還元化本也

後皆倣此

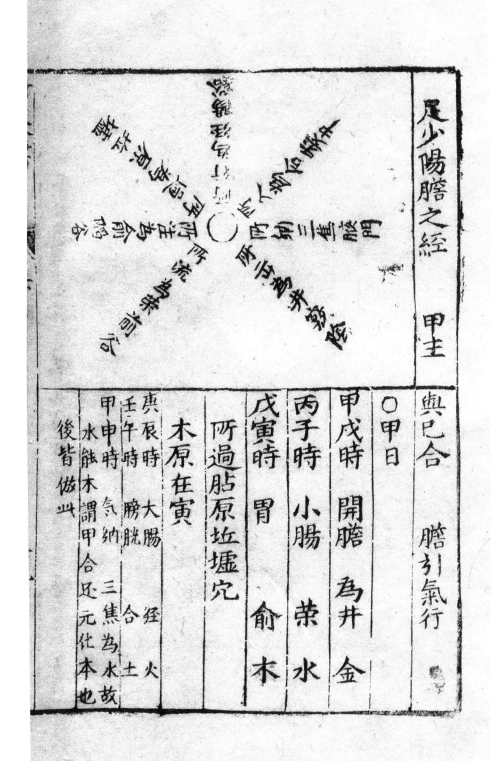

足厥陰肝之經　乙主

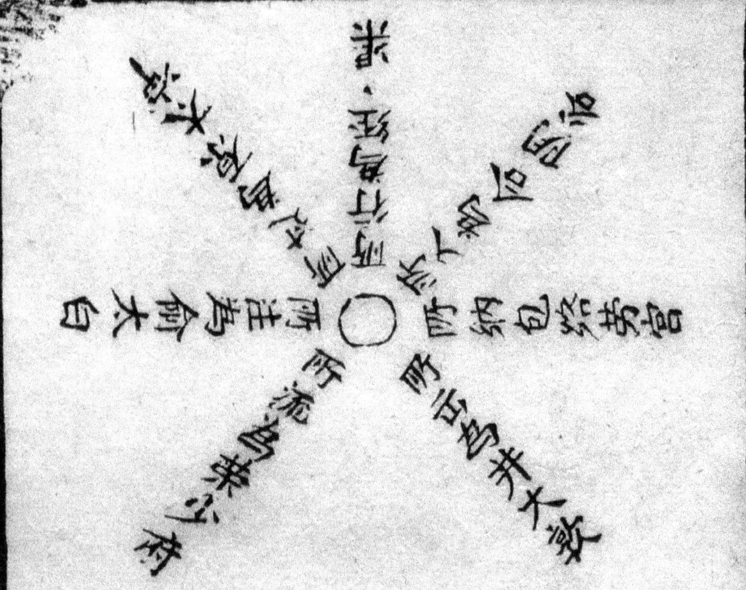

與庚合　肝引血行

乙日

乙酉時　開肝　井　木

丁亥時　心　榮火

己丑時　脾　俞土

所過肝原

辛卯時　肺　經金

癸巳時　腎　合水

乙未時血納包絡穴屬火是謂

木能生火俱以子毋相生從

皆倣此

手太陽小腸之經　丙主

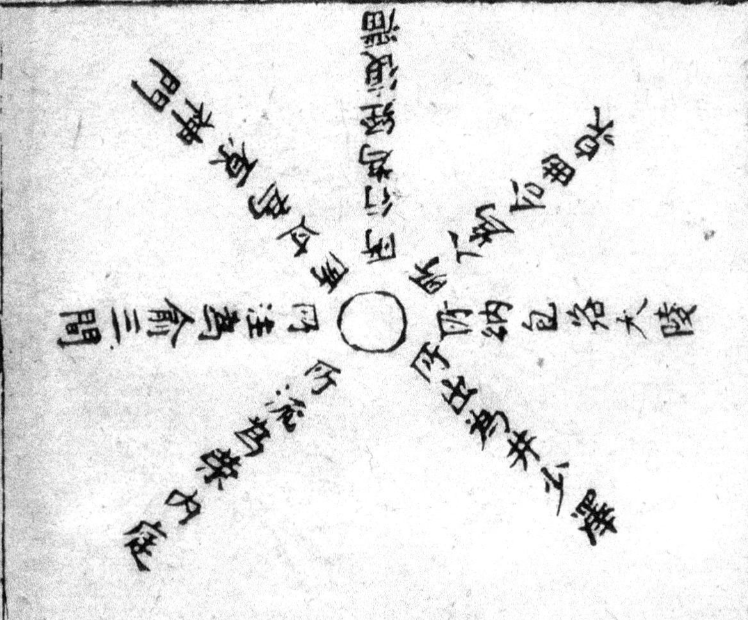

與辛合　小腸引氣行　一

丙日

丙申時　開　小腸　井金

戊戌時　胃　滎水

庚子時　大腸　俞木

并過小腸之原

壬寅時　膀胱　經火

甲辰時　膽　合土

丙午時氣納三焦之木理同前

手少陰心之經　丁主

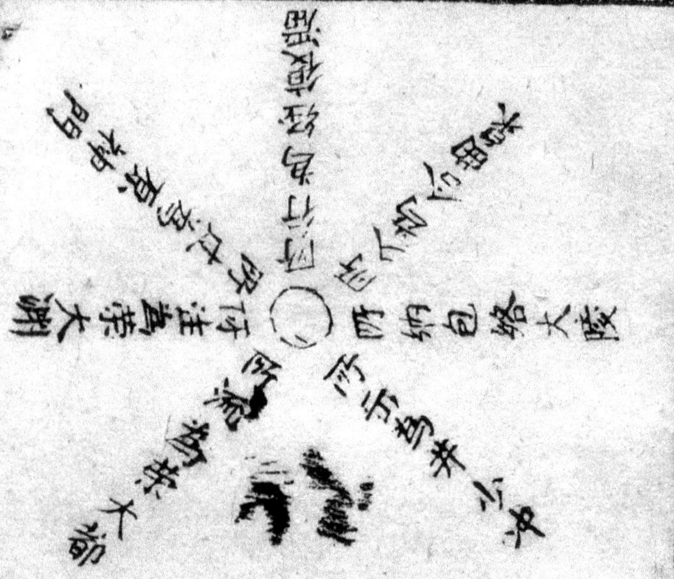

與壬合　心引血行

○丁日

丁未時　開　心　井木

巳酉時　脾　滎火

辛亥時　肺　俞土

并過心原

癸丑時　腎　經金

乙卯時　肝　合水

丁巳時血納包絡之俞土義同

前

足陽明胃之經　戊主

与癸合　胃引氣行	戊日	戊午時　開　胃　井金	庚申時　大腸　荥水	壬戌時　膀胱　俞木	并過胃原	甲子時　膽　經火	丙寅時　小腸　合土	戊辰時气納三焦之經火也

足太陰脾之經　巳土

與甲合　脾引血行

○巳日

巳巳時　開　脾　井木

辛未時　肺　榮火

癸酉時　腎　俞土

井过脾原

乙亥時　肝　經金

丁亥時　心　合水

巳卯時　血納包絡之經金也

手太陰肺之經　辛主

與丙合　肺引血行

○辛日

辛卯時　開　肺　井木

癸巳時　腎　滎火

乙未時　肝　俞土

并過肺原

丁酉時　心　經金

己亥時　脾　合水

辛巳時　血納包絡之合水也

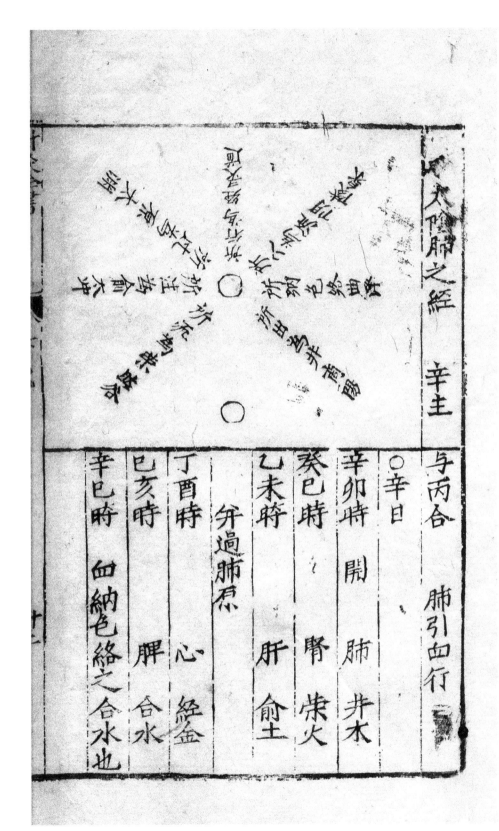

手陽明大腸之經 庚主

与乙合 大腸引氣行

○庚日

庚辰時 開 大腸井金

壬午時 膀胱 滎水

甲申時 胋 俞木

并过大腸之原

丙戌時 小腸 經火

戊子時 胃 合土

庚寅時 氣納三焦之合土也

足太陽膀胱之經　壬土

與丁合　膀胱引氣行

○壬日

壬寅時　開　膀胱　井金

甲辰時　膽　滎水

丙午時　小腸　俞木

并過本原京骨水原在于水

入火鄉故壬丙子午相交也

兼過三焦之原

戊申時　胃　經火

庚戌時　大腸　合土

壬子時气納三焦之井

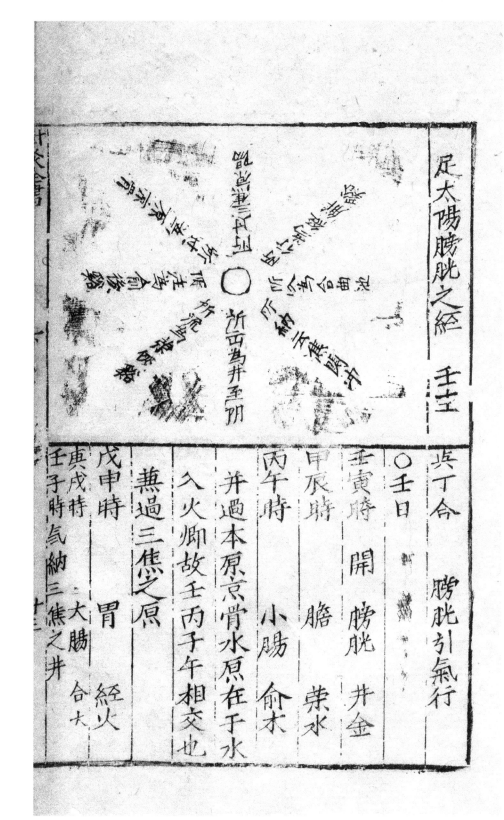

凡少陰腎之經　癸土

與戊合　腎引血行

○癸日

癸亥時　開　腎　井木

乙丑時　肝　滎火

丁卯時　心　俞土

并過腎原大谿又过經絡之

原

己巳時　脾　經金

辛未時　肺　合水

癸酉時　血納包絡入井水

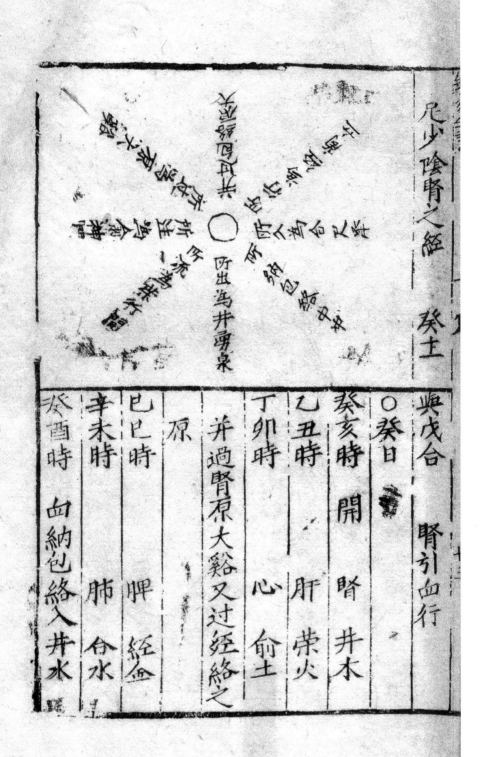

竇文真公八法流注

○論經脉有奇經八脉

難經云脉有奇經八脉者不拘於十二經何謂也然有陽維有陰維有阳蹻有陰蹻有衝有任有督有帶之脉凡此八脉皆不拘於經故曰奇經八脉也經有十二絡有十五凡二十七氣相隨上下何独不拘於經也然圣人啚設溝渠通利水道以備不然天雨降下溝渠溢滿當此之時霶霈妄行圣人不能復啚也此絡脉滿溢諸經不能復拘也既不拘於十二經絡皆從何起何繼詳見下文

○奇經八脉周身交會歌

督脉起自下極腧並與脊裏上風府過腦額鼻入齗交為陽脉海都綱要任脉起于中極底上復循喉承漿裏陰脉之海任所為衝脉出胞至胸止從腹會咽絡口唇女人成經為血室脉并少陰之腎經与任督本於陰會三脉并起而異行陽蹻起足跟之底循外踝上入風池陰蹻内踝循喉嗌本是陰阳脉別支諸陰会起陰維脉發足少阴築賓郄諸阳会起陽維脉太陽之郄金門是帯脉周回季脇間会于維道足少陽所謂奇經之八脉維系諸經乃順常

○八脉交會八穴歌

公孫衝脉胃心胸内關陰維下認同臨泣膽經連帶脉陽維目銳外關逢後谿督脉内眥頸申脉陽蹻絡亦通列缺肺任行肺系陰蹻照海膈喉嚨

八脉配八卦歌

乾屬公孫艮内關巽臨泣震外關離居列缺坤照海後谿兑坎申脉間補瀉浮沉分逆順得時呼吸不為難祖傳秘訣神針法万病如拈立便安

八穴相配合歌

公孫偏與内關合列缺能消照海痾臨泣外關分主客後谿申脉正相和左針右病知高下以意通經廣按摩補瀉迎隨分

逆順五門八法是真科

八法五虎建元日時歌

甲己之辰起丙寅乙庚之日戊寅行丙辛便起庚寅始丁壬壬
寅一順尋戊癸甲寅定時候五門得合是元因

八法逐日干支歌

甲己辰戌丑未十乙庚申酉九爲期丁壬寅卯八成數戊癸巳
午七栽依丙辛亥子亦七數逐日支干即得知

八法臨時支干歌

甲己子午九宜用乙庚丑未八無疑丙辛寅申七作數丁壬卯
酉六須知戊癸辰戌各有五巳亥單加四共齊陽日除九陰

除六不及零餘穴下推

靈龜八法之圖

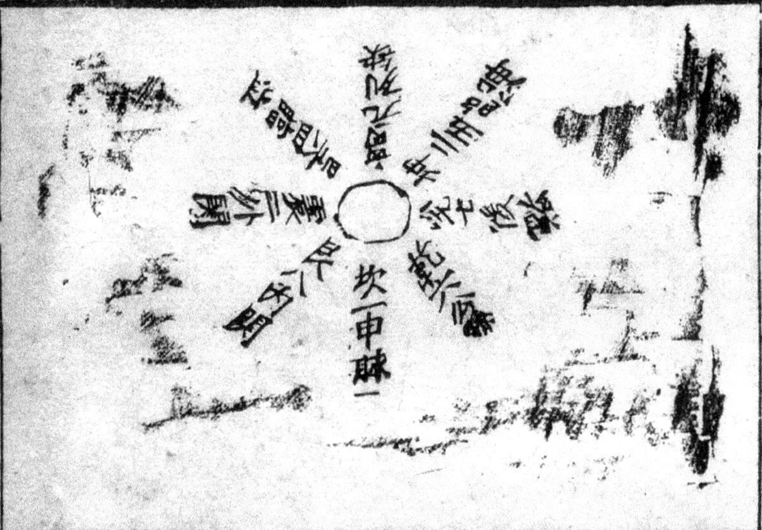

戴九履一左三右七二四為肩

六八為足五本居中寄於坤

局

陽日寄艮

陰日寄坤

坎一申脉主　照海坤二五

震三屬外關　巽四臨泣數

乾六是公孫　兊七後谿府

艮八主内關　离九列缺住

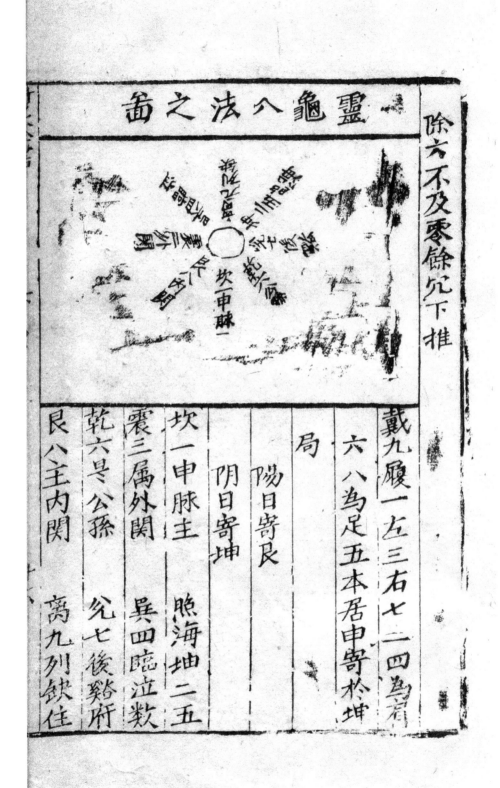

假如甲子日戊辰時就数逐日支干内得十数子得七数又筭臨時支干内戊得五数辰得五数共成二十七数此是阳日該除二九一十八数除有九数是离九列缺穴也又如乙丑日壬午時就筭逐日支干内乙得九数丑得十数又美臨時支干内壬得六数午得九数共成三十九数此是陰日該除五六方三十数零有四数是巽四臨泣也餘皆倣此

飛騰八法歌　与前法不同

壬甲公孫即是乾丙居艮上丙関然戊午臨泣生坎水庚屬外関震相連辛上後谿装巽卦乙癸申脉到坤傳己土列缺南离上丁居照海兑金全

其法只取本日天干為例假如甲乙日戊辰時即取戊辰

臨泣穴巳巳時即列缺庚午時即外關餘皆倣此

愚謂奇經八脉之法各有相同前灵龜八法有陽九

陰六十干十变開闔之理用之得時无不捷効後飛

騰八法亦明師所授故不敢棄亦載于前以俟示之

斈者

八穴交會八脉

公孫二穴父通衝脉合於心胸胃

内關二穴母通陰維脉

後谿二穴夫通督脉合於目内眥頸項耳肩膊小腸膀胱

中脈二穴妻通　陽蹻脈
臨泣二穴男通　帶脈
合於目銳眥耳後頰頸肩
外關二穴女通　陽維脈
列缺二穴主通　任脈
照海二穴客通　陰蹻脈
合於肺系咽喉胸膈

八穴主治病證

公孫二穴通衝脈脾之經在足大指内側本節後一寸陷中令病人坐合兩掌相对取之主治三十六證

凡治後證必先取公孫為主次主各穴應之

流注之穴手不过肘

手太陰肺經流注之圖

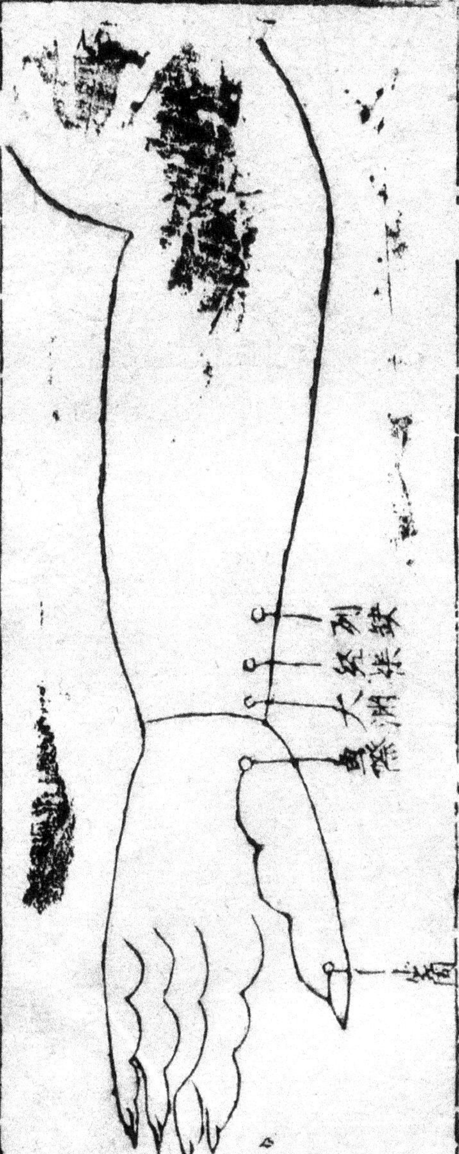

●少商二穴在手大指内側去爪甲如韭葉許●魚際二穴在手大指本節後内側散脉中●太淵二穴在掌後横中陷中●經渠二穴在手掌後寸口脉中●列缺二穴在手側腕上指相叉指盡是穴●尺澤二穴在手肘約紋中

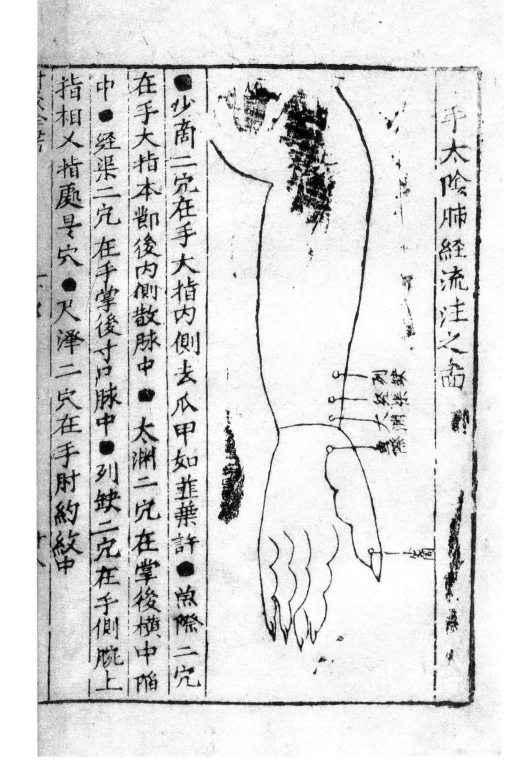

手厥陰心包絡經流注之圖

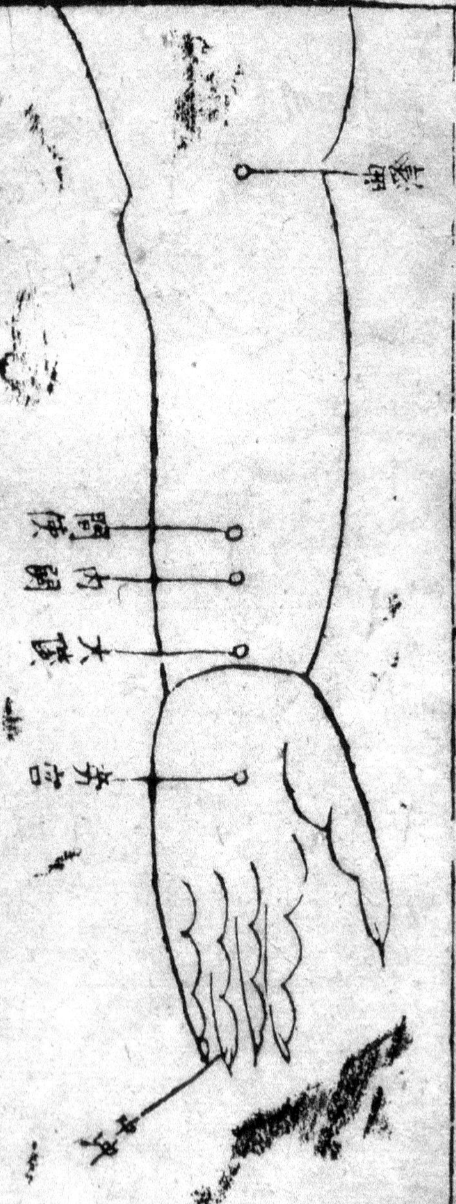

●中冲二穴手中指内廉之端去爪甲如韮葉許●勞宮二穴在手掌中心●大陵二穴在手掌後横紋中●内關二穴在手掌後二寸中兩筋間●間使二穴去内間一寸在掌後三寸中●曲澤二穴在手肘内廉陷中曲肘得之

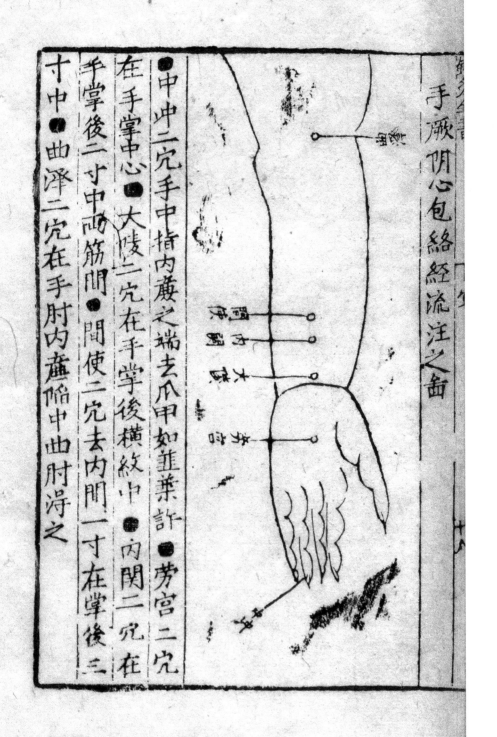

手陽明大腸經流注之圖

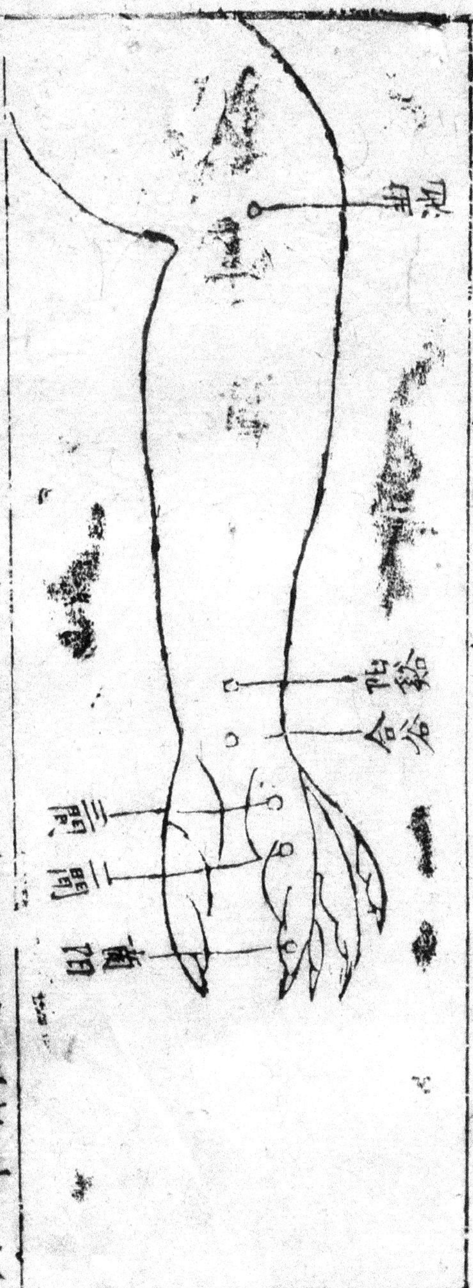

●商陽二穴在手大指次指内側去爪甲角如韭葉許●二間二穴在此指本節前内側陷中●三間二穴在本節後内廉側陷中●合谷二穴在虎口岐骨之間陷中●陽谿二穴手腕上側陷中●曲池二穴在肘外輔骨屈肘曲骨之中

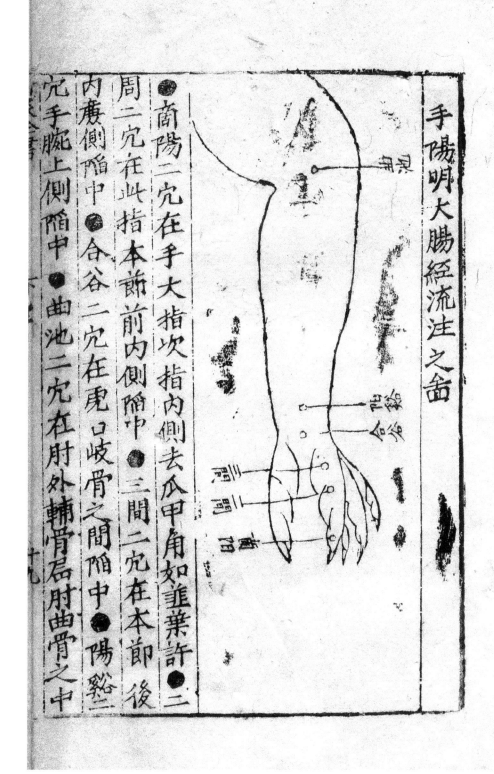

手少陽三焦經流注之圖

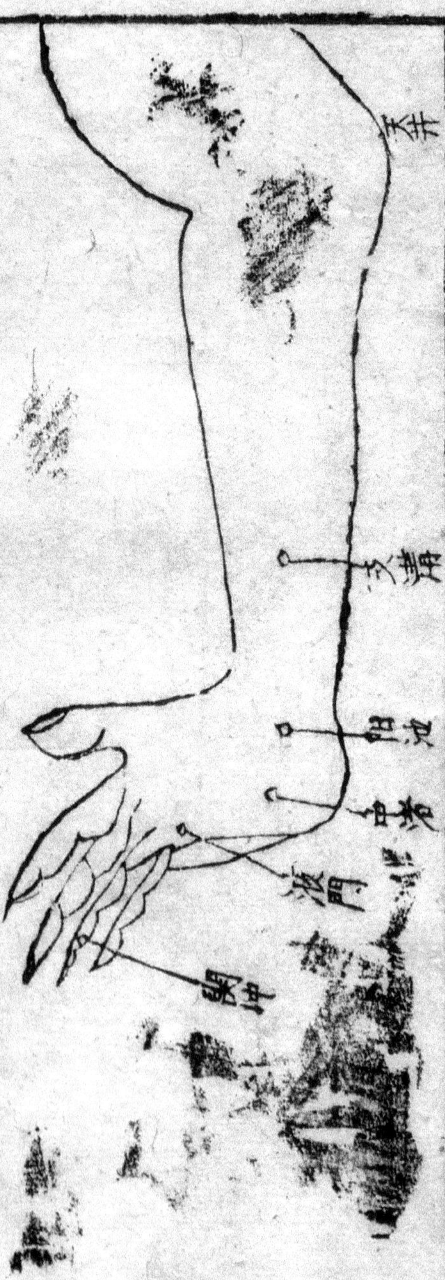

関冲二穴在手無名指端〻畫去爪甲如韭葉許●液門二穴在小指次指本節前陷中●中渚二穴在本節後陷中握拳取之●陽池二穴在手表腕上陷中●支溝二穴在手腕後三寸兩筋骨之間●天井二穴在肘外大骨大骨後肘上陷中

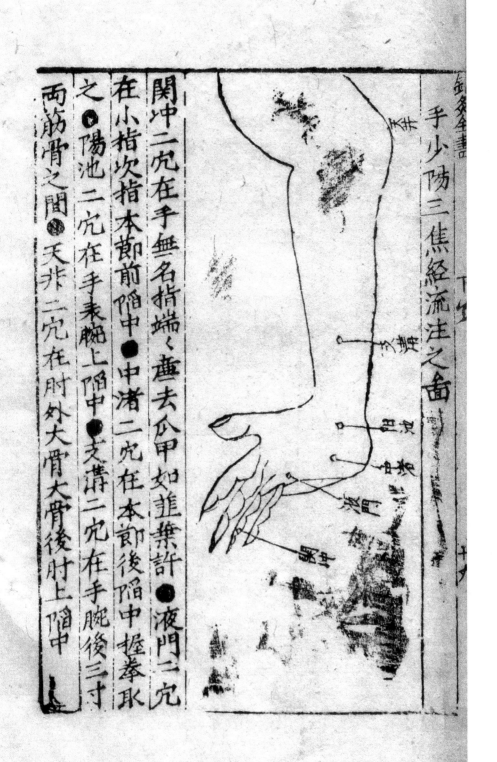

手少陰心經流注之圖

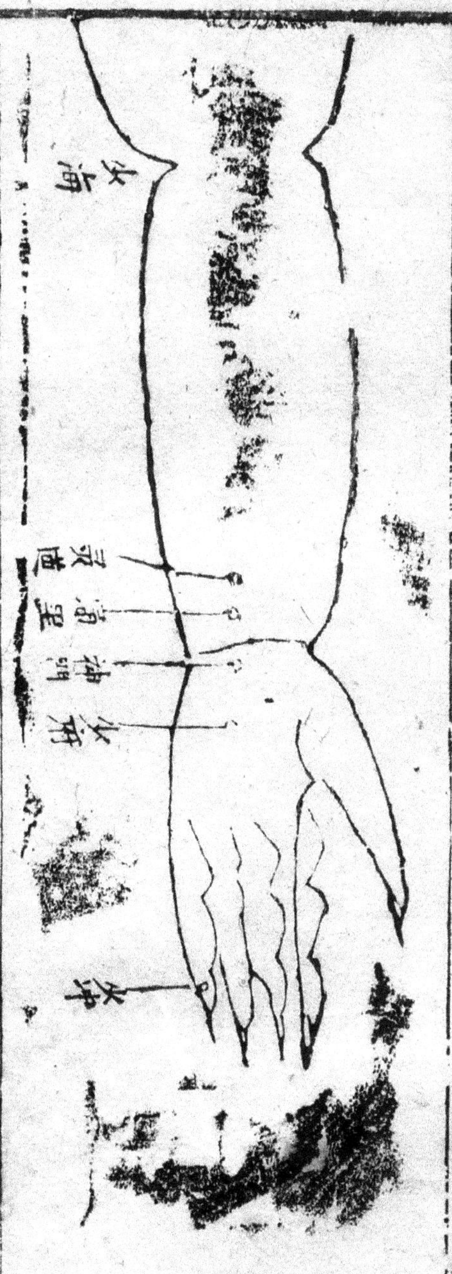

少冲二穴在手小指内側端去爪甲如韭葉許●少府二穴在手掌内小指本節後陷中有勞宫●神門二穴在手掌後兊骨之端●通里二穴在掌後一寸●灵道二穴在掌後一寸五分

少海二穴在肘内側横紋頭曲手取之

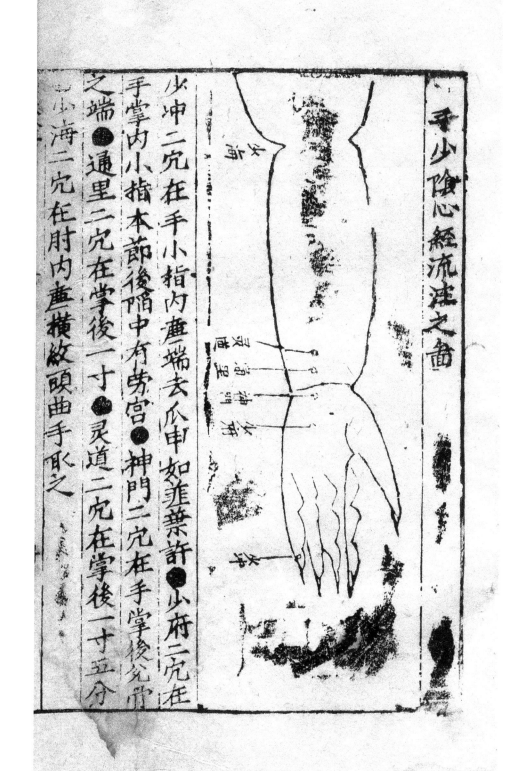

手太陽小腸經流注之圖

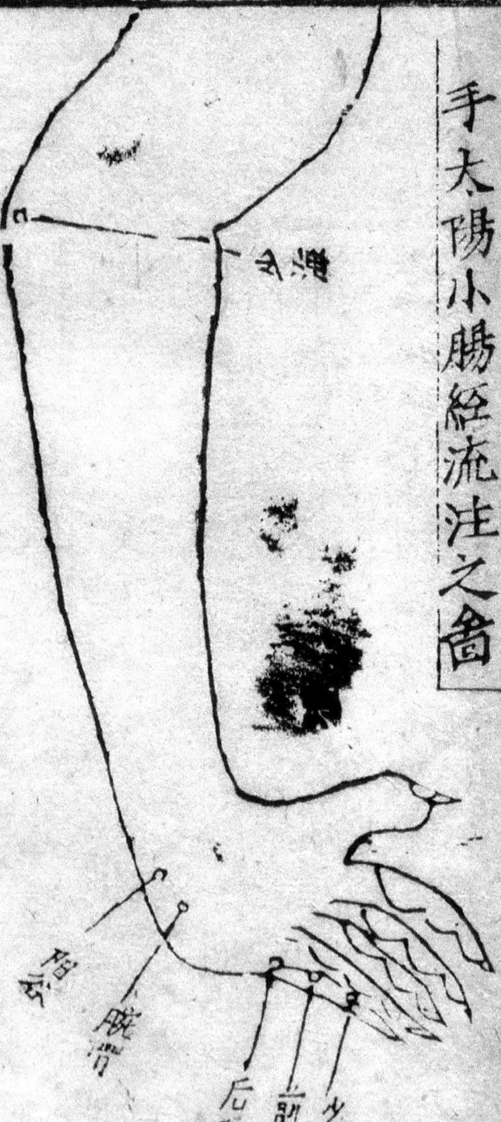

少澤二穴在手小指之端外側去爪甲一分●前谷二穴在手小指外側本節前陷中●後谿二穴在外側本節横紋尖上陷中●腕骨二穴在手外側腕前起骨下陷中●陽谷二穴在手外骨踝下●少海二穴在肘大骨外去肘端五分端中

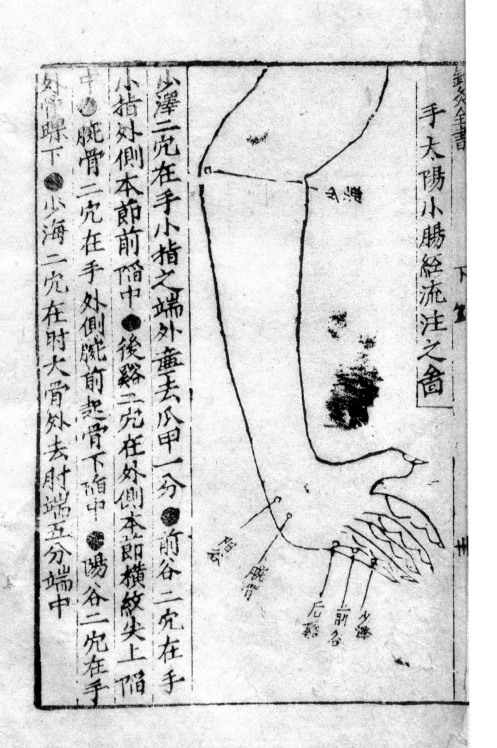

足太陰脾經流注之圖

流注之穴足不過膝

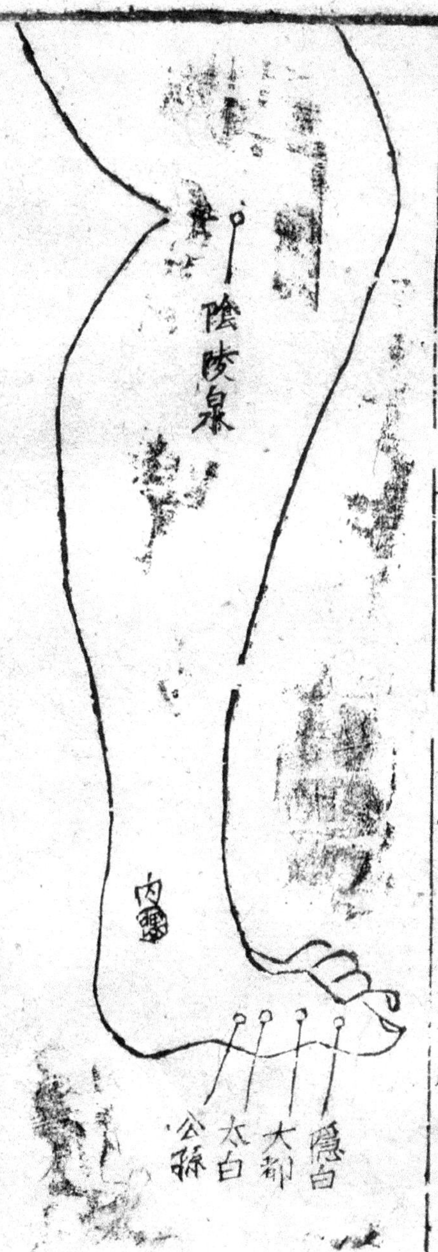

隱白二穴在足大指內側端去爪甲角如韭葉●大都二穴在大指本節後陷中●太白二穴在大指內側核骨下陷中●公孫二穴在大指內側去本節後一寸●商丘二穴在足內踝微前●陰陵泉二穴在足膝下內側輔骨下陷中

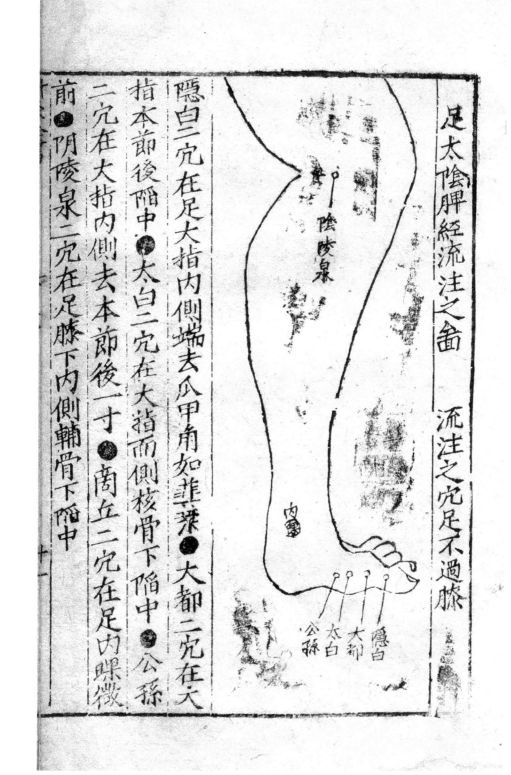

足厥陰肝經流注之圖

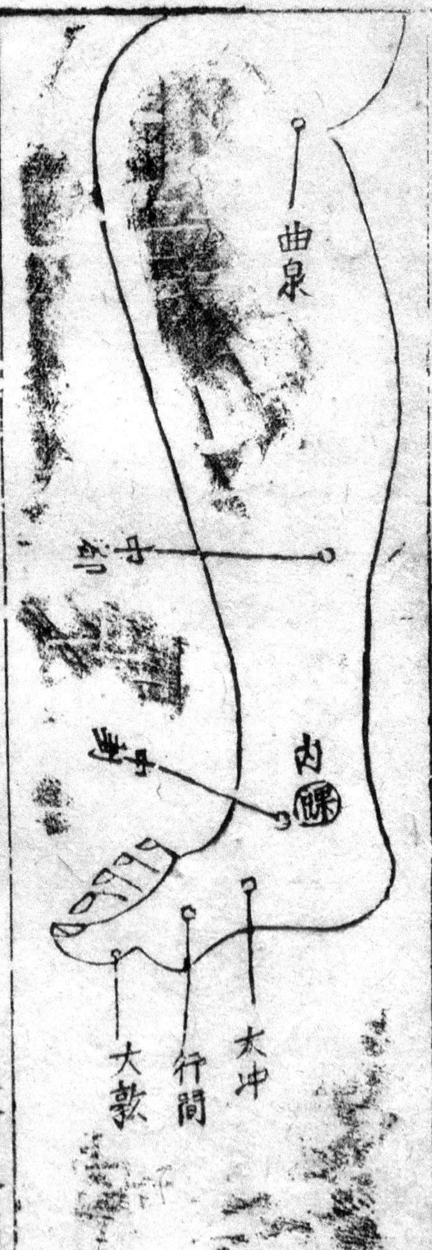

大敦二穴在足大指端去中一分●行間二穴在大指外間動脉應乎●太冲二穴在大指本節後二寸動脉中●中封二穴在內踝前一寸仰足取之●中都二穴在內踝上七寸●曲泉二穴在膝內輔骨下橫紋尽處

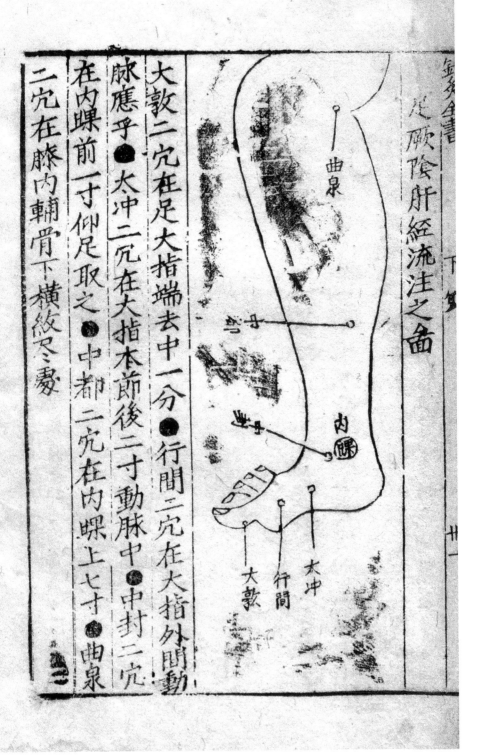

足陽明胃經流注之圖

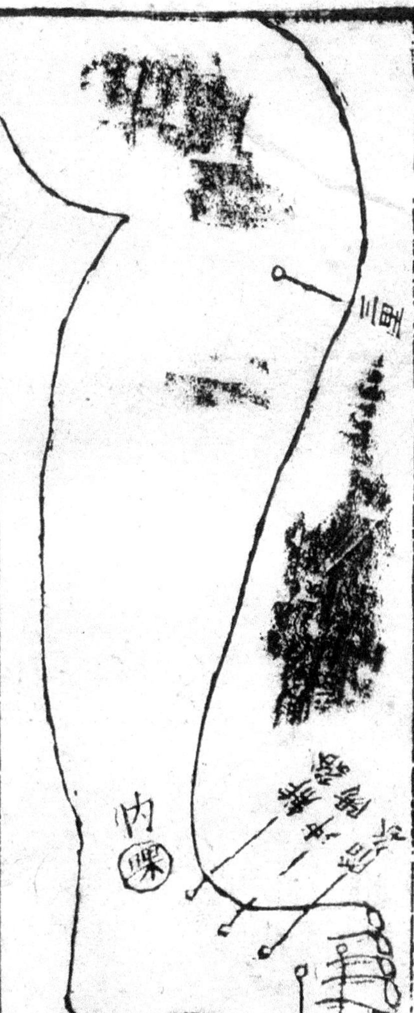

厲兌二穴在足大指次指端去爪甲一分 ● 內庭二穴在足次指間陷中 ● 陷谷二穴在足次指本節後陷中去內庭二寸 ● 沖陽二穴在附上去內庭五寸 ● 解谿二穴在足腕上繫草鞋練處陷中 ● 三里二穴在膝下三寸大筋內宛宛中

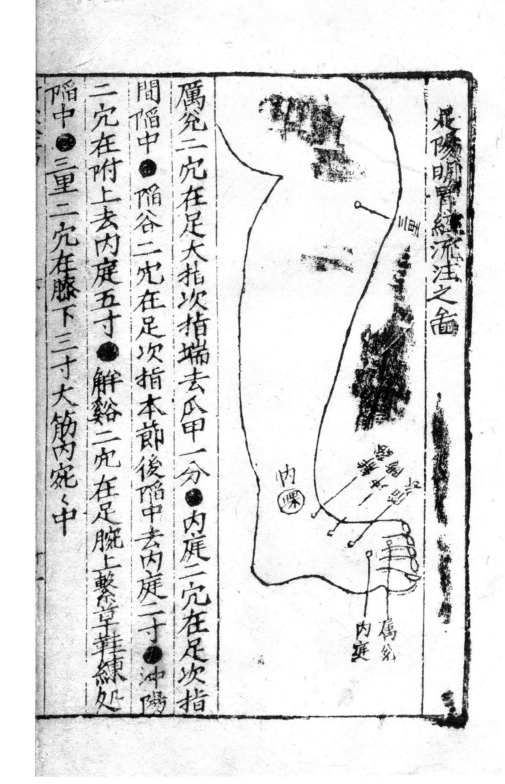

足少陰腎經流注之圖

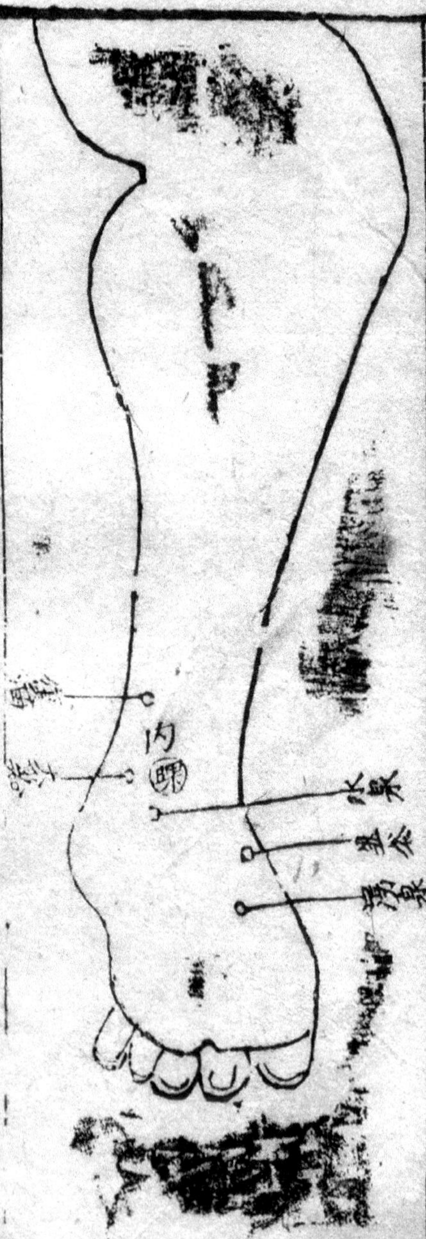

湧泉二穴在足掌心陥中屈足卷指取之●然谷二穴在足内踝前大骨下●大谿二穴在足内踝後跟上動脉之中●水泉二穴在大谿下一寸●復溜二穴在足内踝上二寸●陰谷二穴在足膝内輔骨後大筋下小筋上

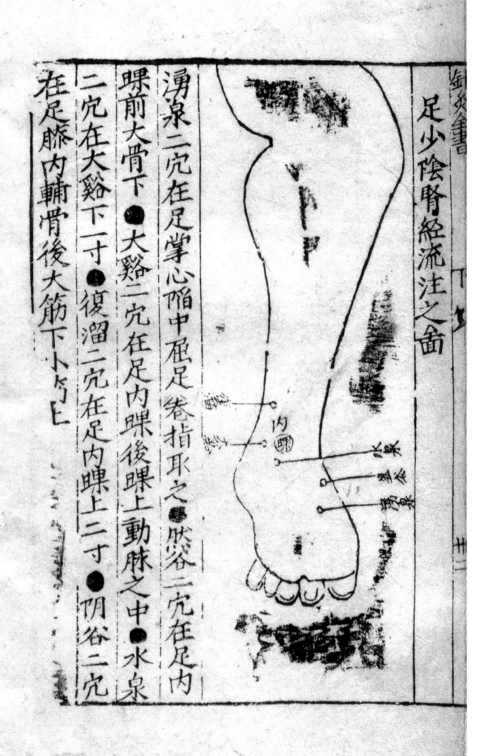

足少陽膽經流注之圖

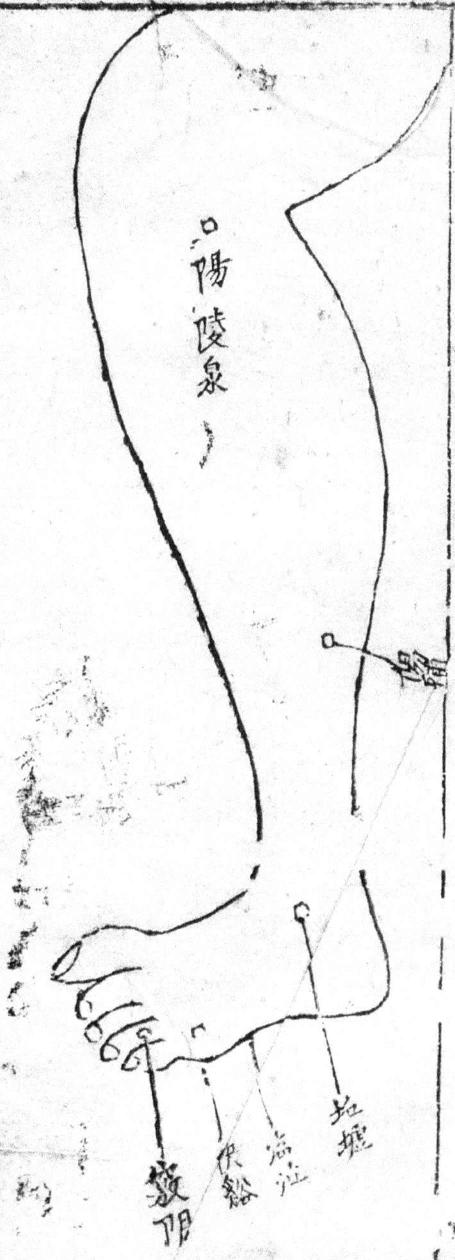

竅陰二穴在足第四指端去爪甲一分○俠谿二穴在足四指外岐骨間本節前○臨泣二穴在本節後去俠谿七分半○坵墟二穴在足外踝微前陷中○陽輔二穴在足外踝上四寸輔骨前絕骨端如前三分○陽陵泉二穴在膝下骨下宛宛中

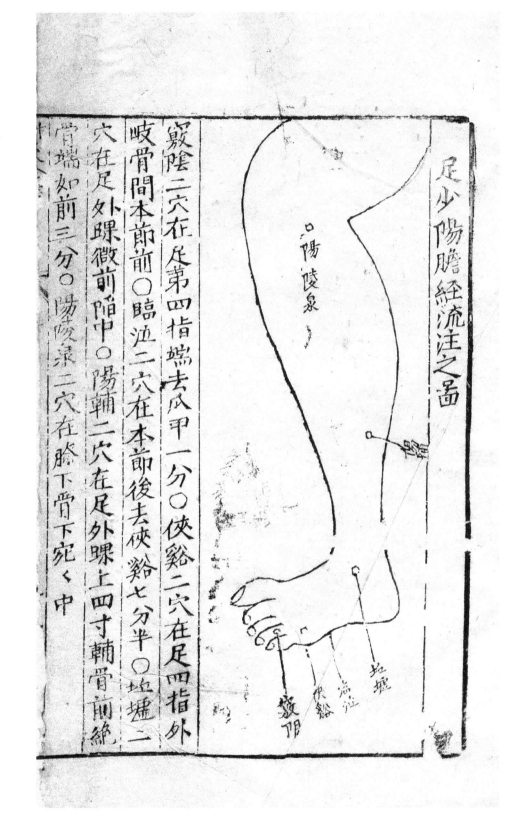

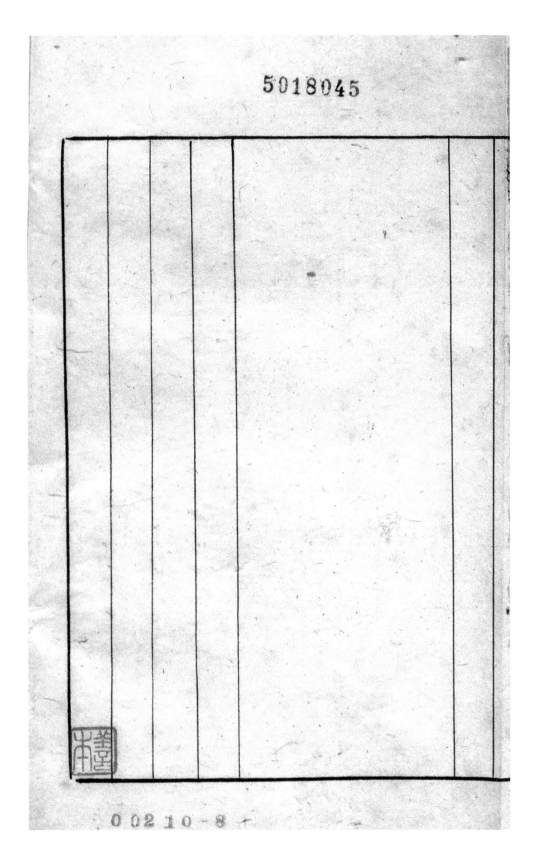

針灸全書卷下之二

周身折量法

夫取穴之法必有分寸予幸遇明師口傳心受歷部折量謹按明堂銅人千金資生甲乙資經參考釘定孔穴集成歌括名曰周身折量法也使學者易於記誦則孔穴瞭然在目倘有未具以俟後之君子更加削正庶斯道之不朽云

先論取同身寸法

千金云尺寸之法依古者八寸為尺八分為寸仍取本人男左女右手中指上第一節為一寸又有取手大拇指第一節橫度為一寸以意消詳巧拙在人亦有長短不定者今考之以男左女右大指與中指相屈如環取中指中節橫紋上下相

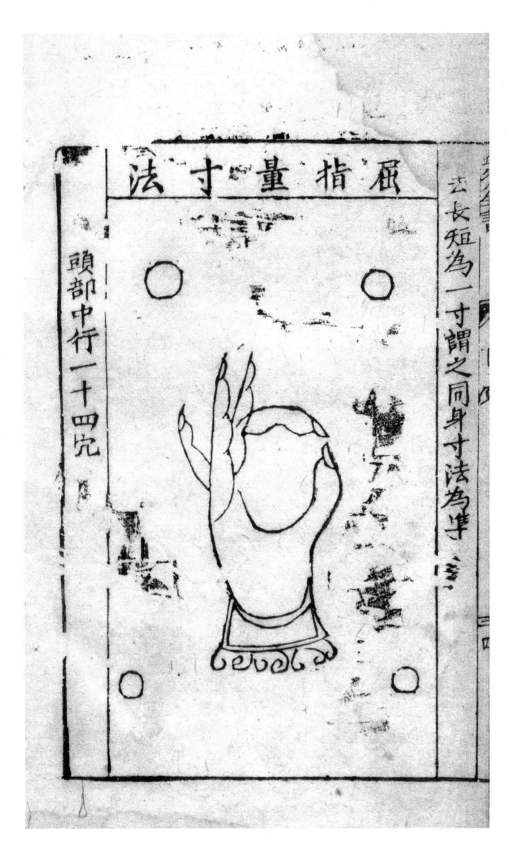

屈指量寸法

法長短為一寸謂之同身寸法為準

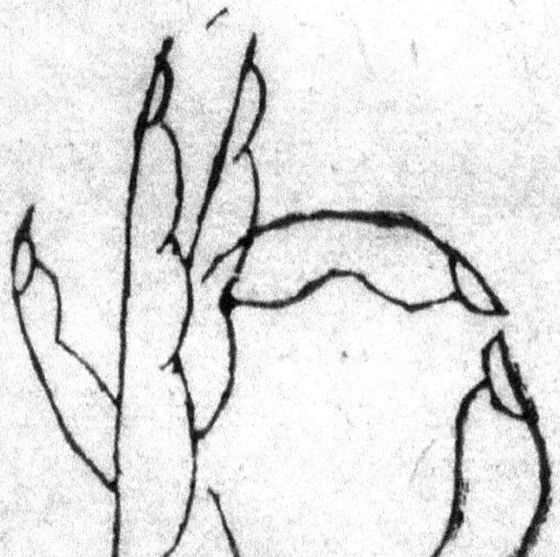

頭部中行一十四穴

平眉三寸定髮際大椎三寸亦如是却來折作尺二寸髮上五分神庭位庭上五分名上星上星上一寸顖會其前頂云顖一寸五頂上寸半百會所神聰百会四花求各取一寸風癎主後頂会後寸半中強間項後過寸五腦户去間寸五分户後寸半定風府下五分瘂門中門下五分髮際終更有明堂一穴会在諸經俱作上星穴頭部中行折量法

頭部中行之圖

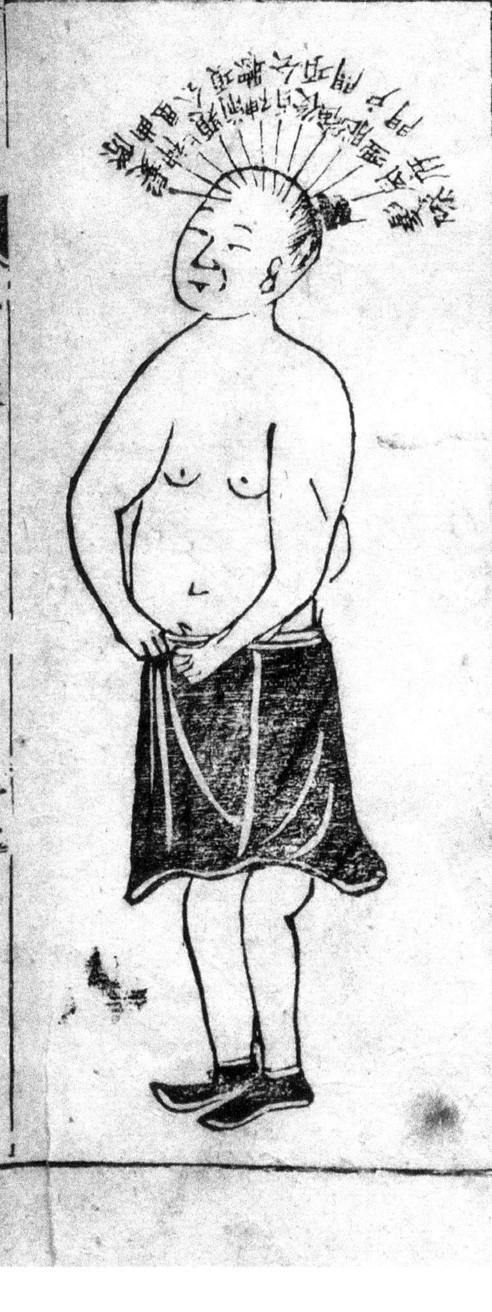

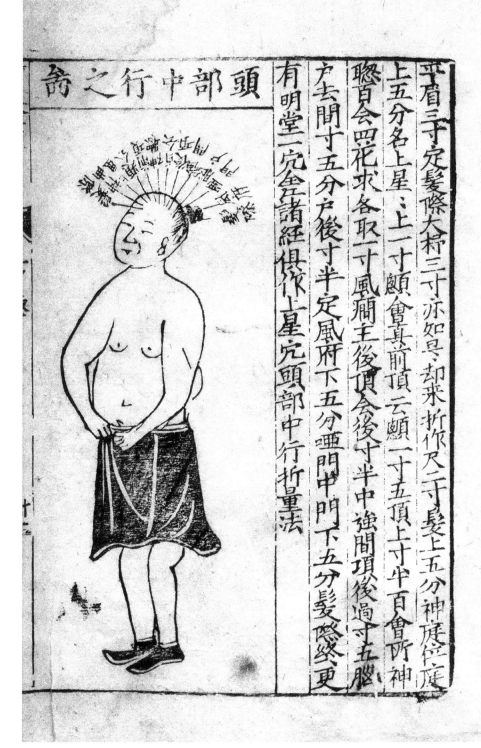

頭部二行左右一十四穴

曲差俠庭寸半量五處仍俠上星傍處後承光寸半中寸半通天絡

却在玉枕横紋於腦户尺寸仍準銅人數天柱在項後髮際大筋邊

外廉陷中是眉冲二穴兩眉頭直上入髮際相求銅人經中不曾載

明堂經載近曲差

頭部二行之圖

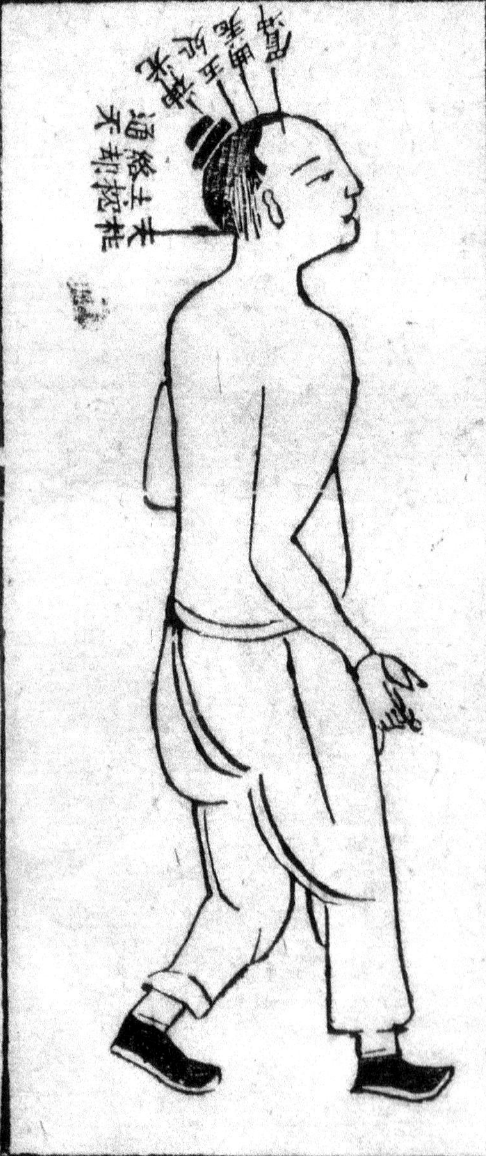

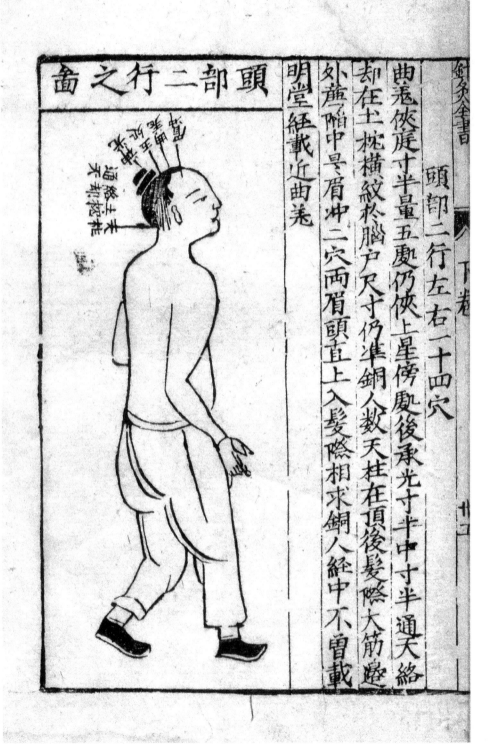

頭部三行左右一十二穴

臨泣二穴當兩目直入髮際五分屬目窓泣後量一寸正營一寸足承灵營後寸五分去灵寸半是腦空風池取少陽陽經督會己當陽三穴當瞳人直上入髮一寸銅人經不載明堂載風眩鼻塞不可灸也

頭部三行之啚

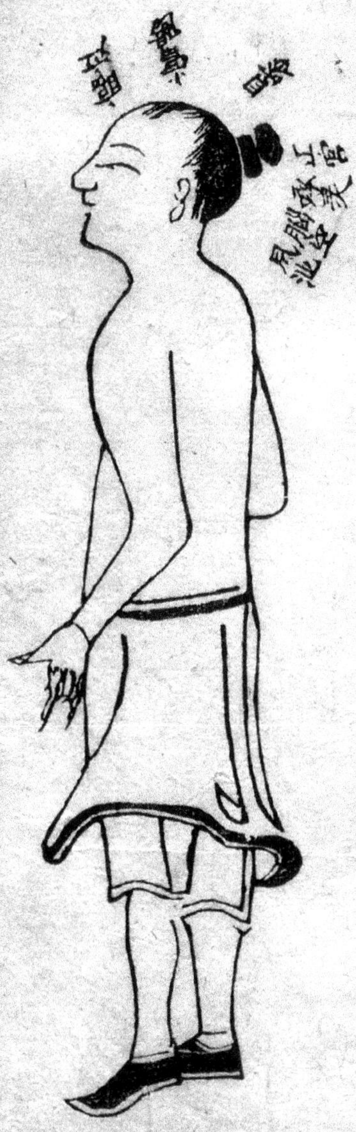

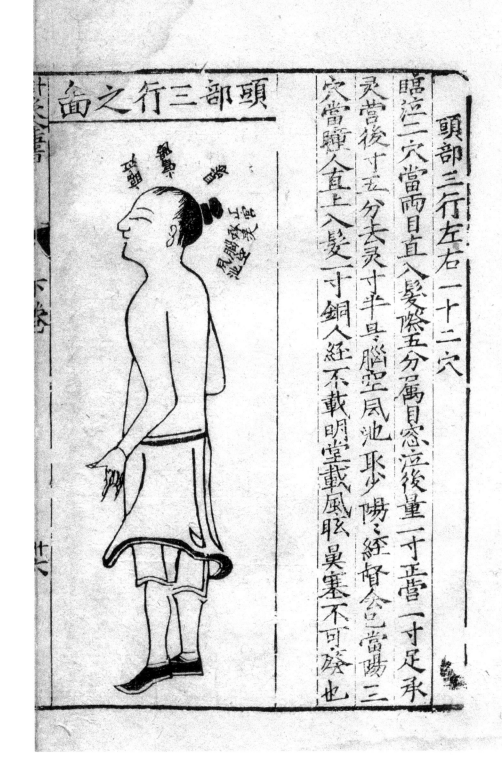

側頭部之圖

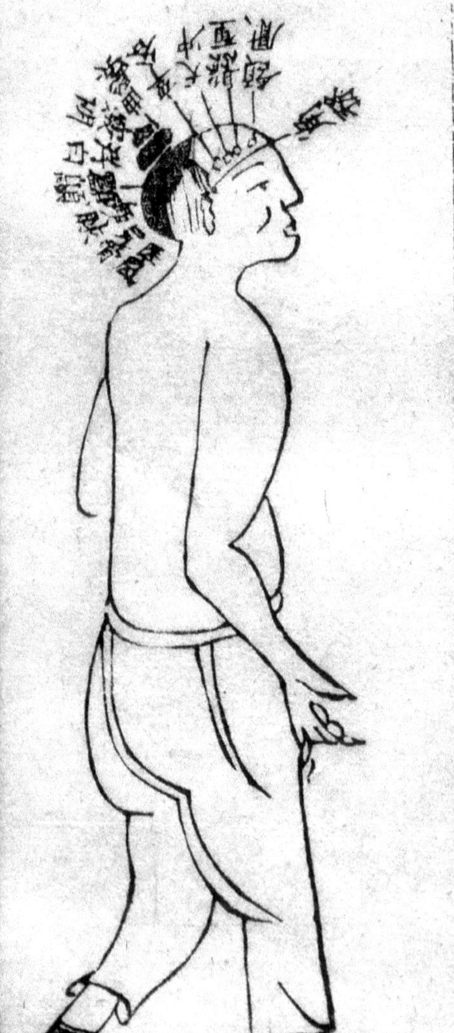

側頭部左右二十六穴

腦空上爲頷厭腦空之中竅懸顱鼇腦空下爲取耳上三寸天冲居窌谷耳上一寸半曲鬢耳上當曲隅角孫耳廓當中取開口有空治目齒竅陰耳上動有空白耳後入髮際一寸之中審端的顱顖耳後青絡脉瘈脉耳本后边中雞足之青脉上相逢完骨耳后四分際耳尖後陷是医風

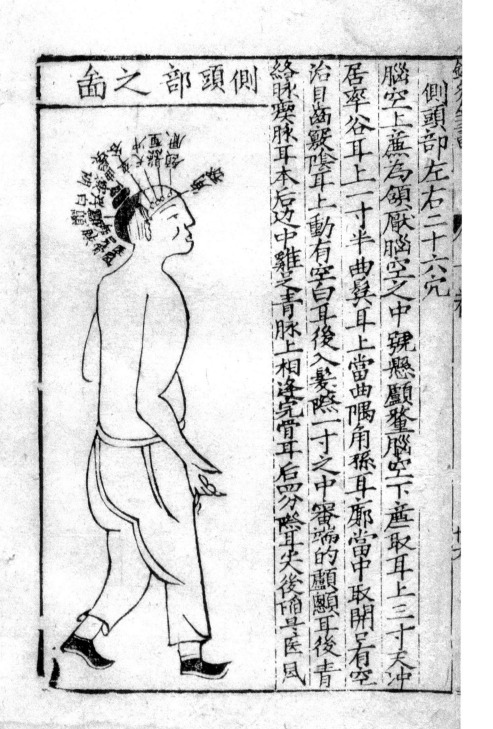

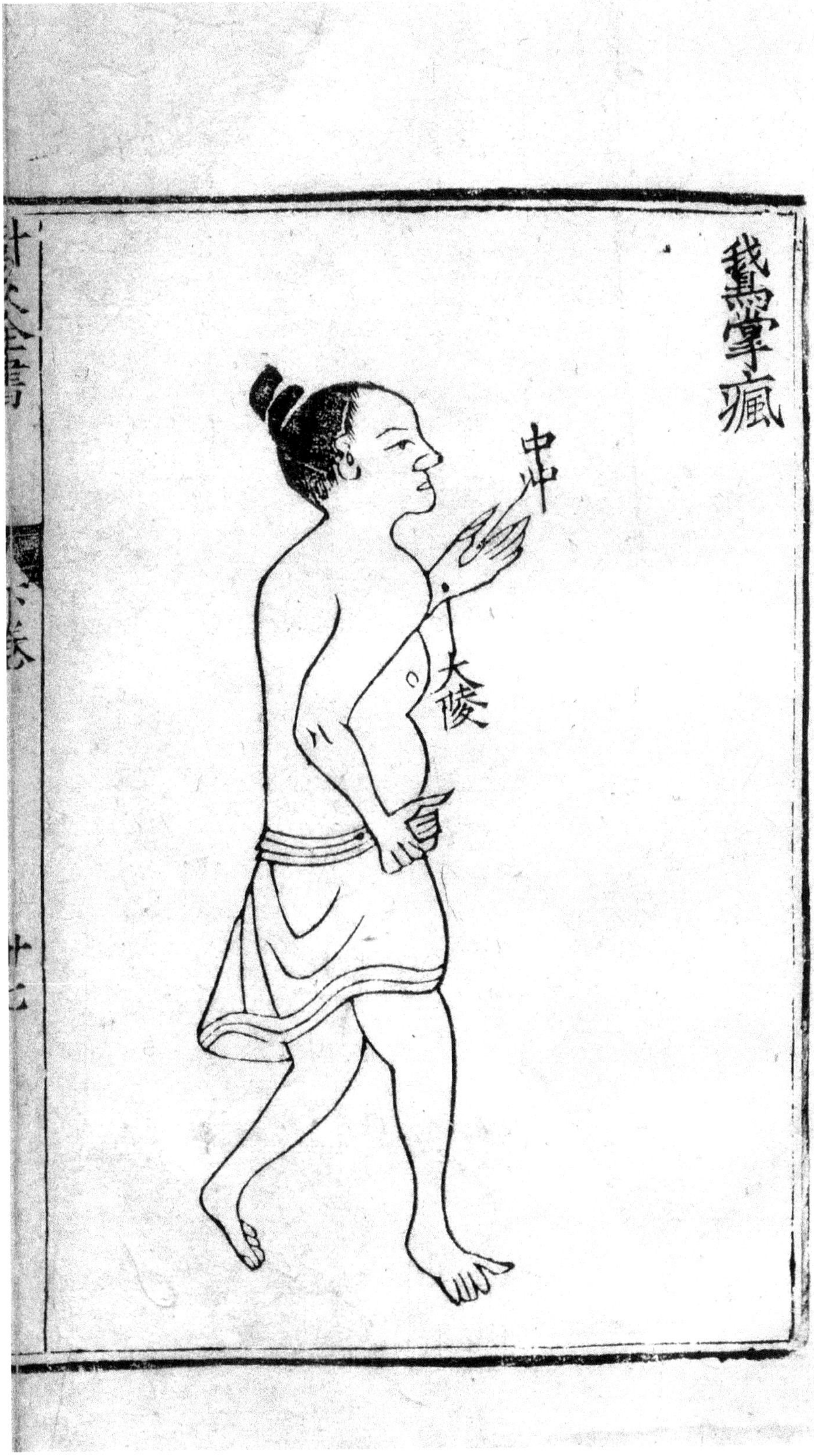
鵞掌瘋
中冲
大陵

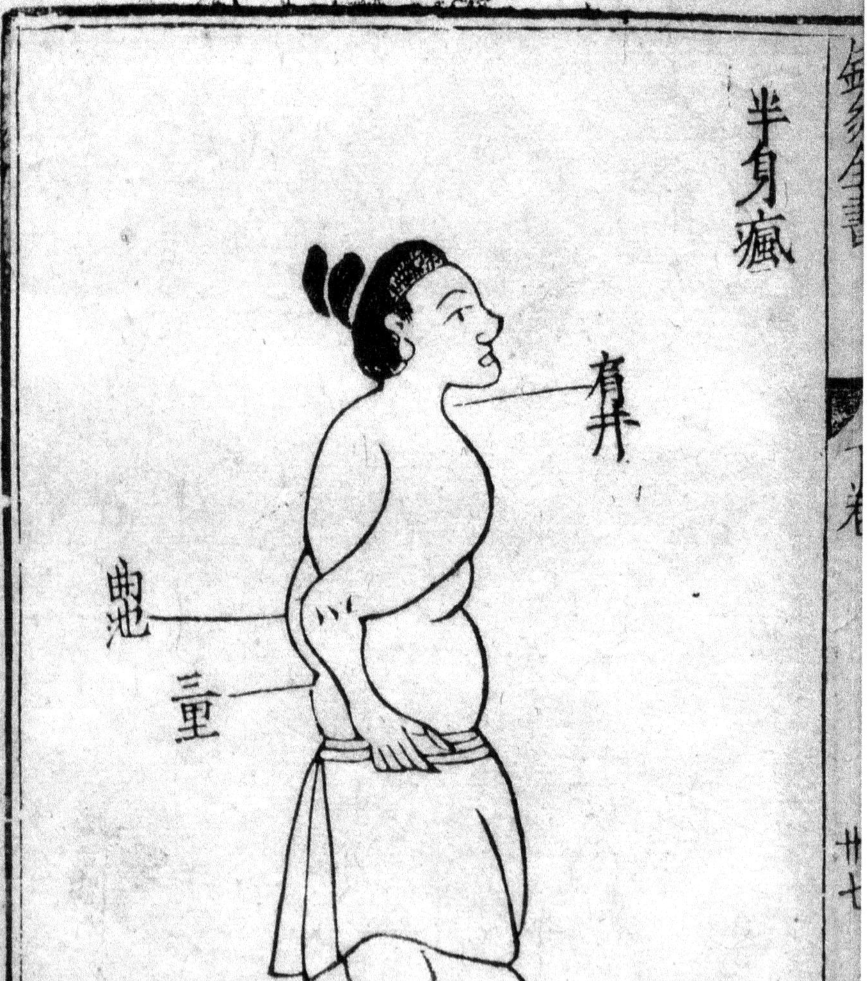
半身瘋
肩井
曲池
三里
廿七

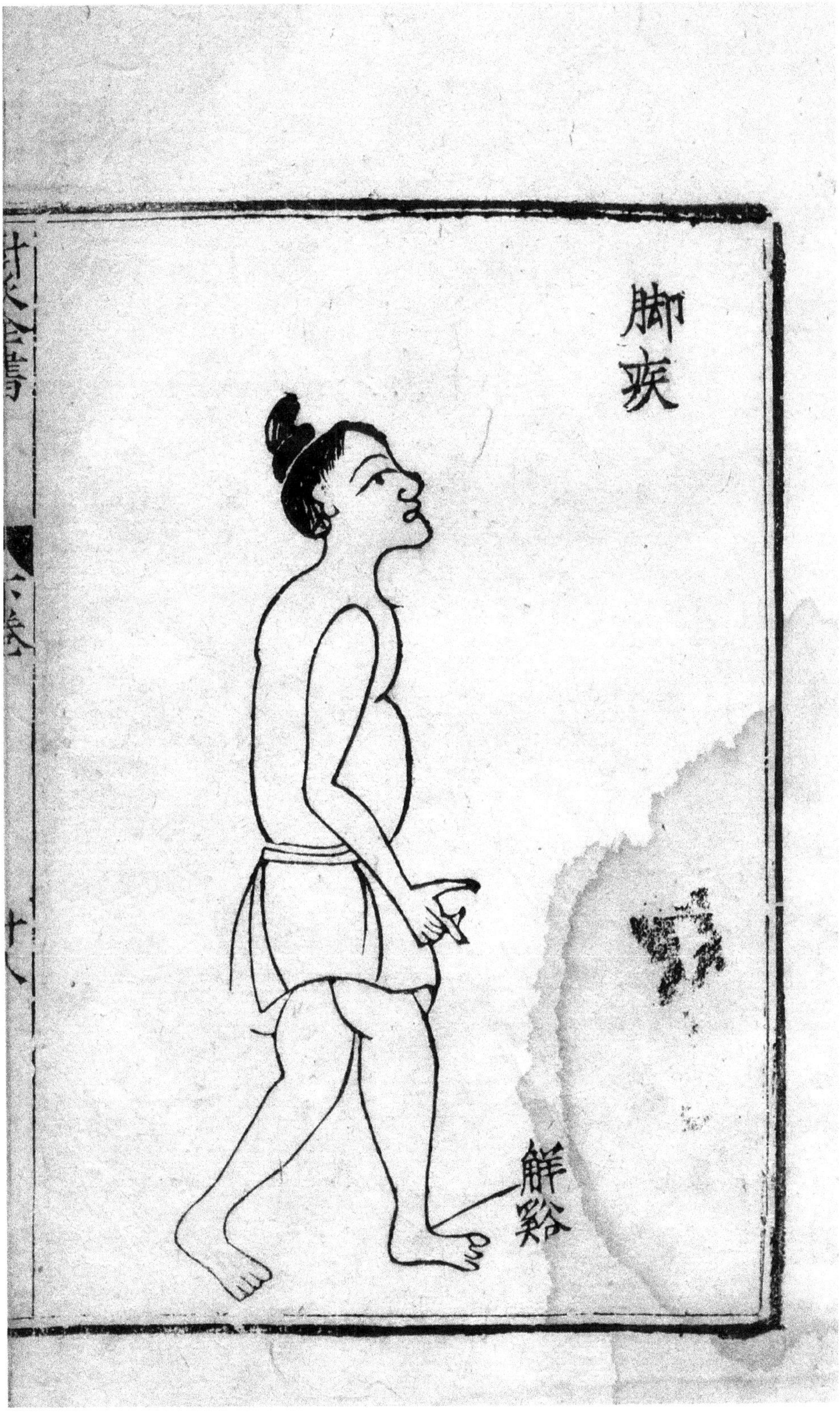
脚疾
解谿

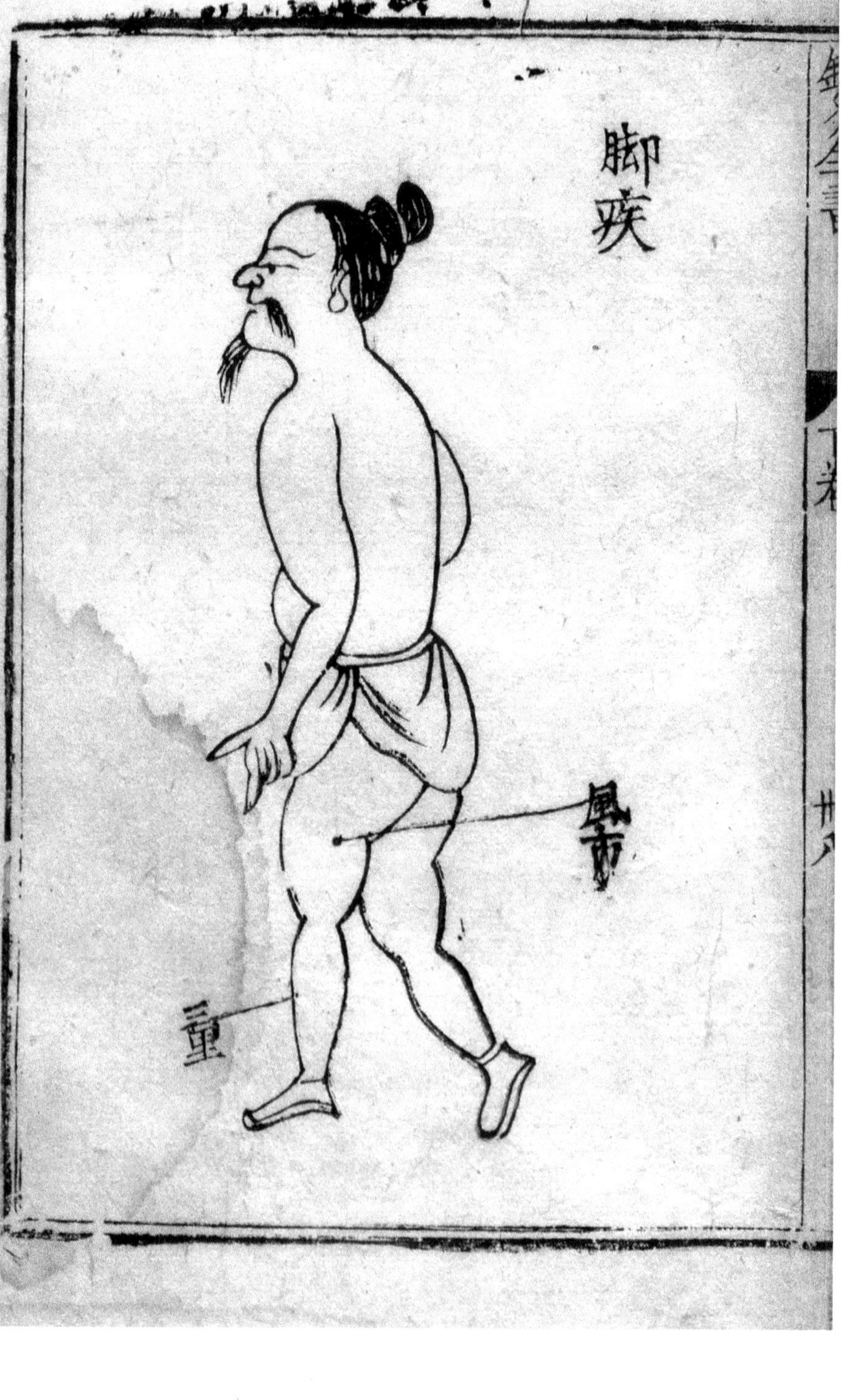
脚疾
風市
三里

肩膊部左右二十六穴

肩膊之穴二十六缺盆之上肩井當天髎缺上毖骨際巨骨肩端上两行肩之前燕為臑會肩顒膊骨陷中揣肩髎臑上舉臂取髃後肩貞當骨解腋腧胛上大骨中大骨之下名天宗天宗之前秉風穴肩中曲胛曲垣中肩外俞胛上應折肩中俞胛内相逢

背部中行之圖

上有大杼下尾骶分為二十有一柱有來自有折量法同身三寸而取
腧七寸八分ミ上七上之七節即是柱平肩大杼大骨下第二陶道三
身柱四柱無穴神道五灵臺第六柱下数至阳七柱八又鈌筋縮九
柱十又欹脊柱十一十二無十三柱下号懸枢ミ十四命門穴十五陽関
十六柱下覩十七至二十俱死芒柱名腰俞下去更有長強穴請君逐一
細尋之間中七節長二分大要十四与平臍一尺二寸一分四後有密户宜審思

背部中行十三穴面

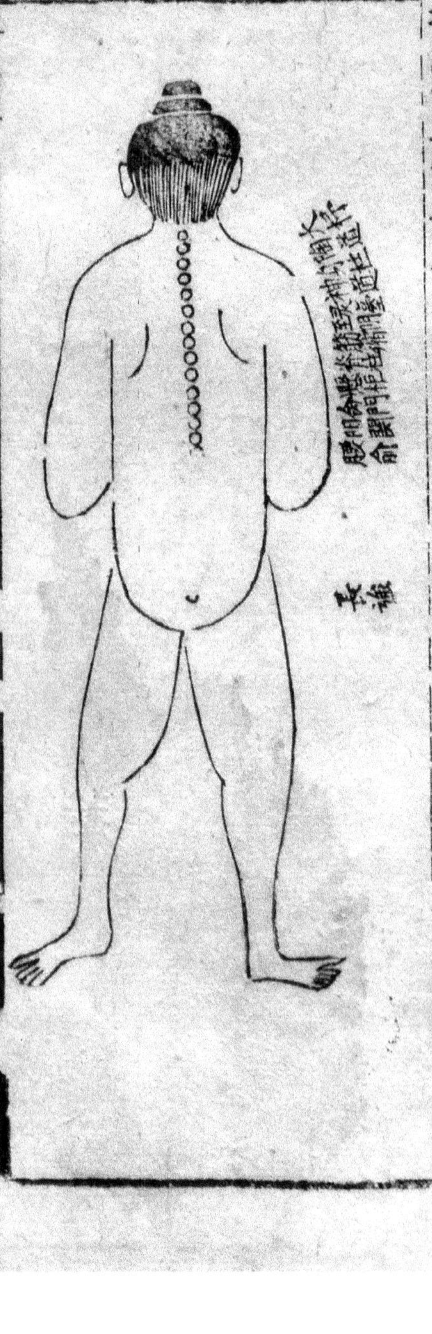

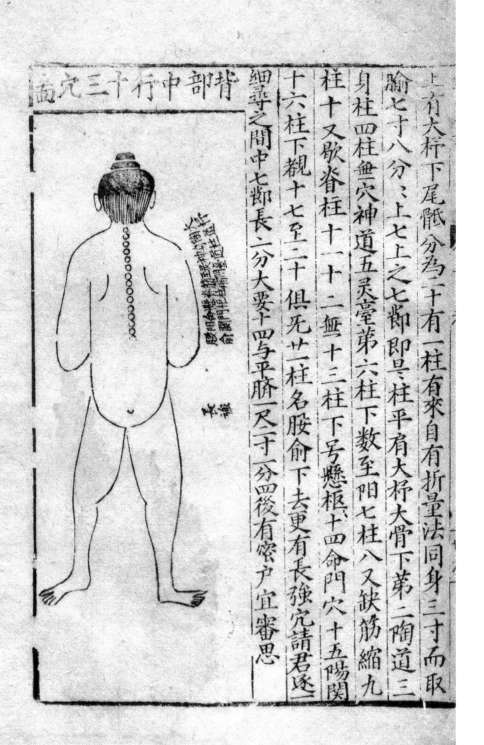

背部二行左右四十六穴

中行各開寸五分第一大杼二風門肺俞三柱厥陰四五柱之下是腎俞督俞六柱膈俞七八柱無俞肝九覓膽俞下十一脾俞二柱下胃俞知一焦腎俞氣海俞十三十四十五大腸俞關元俞怎量十六十七柱兩傍十八柱下小腸俞十九柱中是膀胱中膂內俞柱二十白環二十一柱量上窌次窌中窌下一空二空俠腰踝此為背部之二行又有會陽陰尾傍

背部二行圖

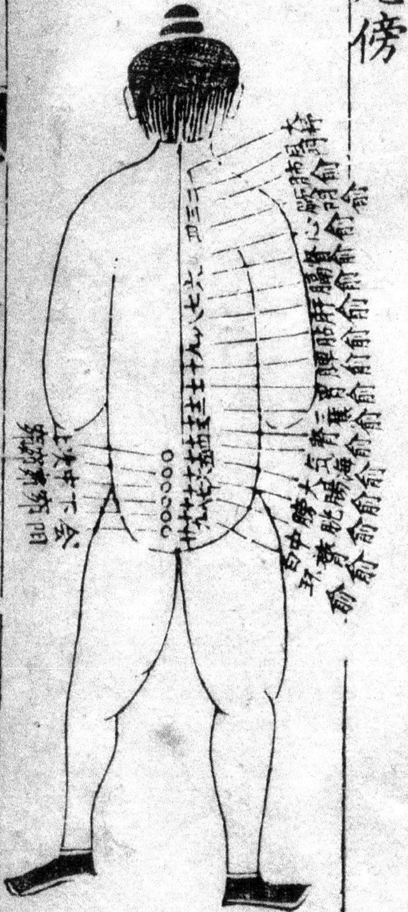

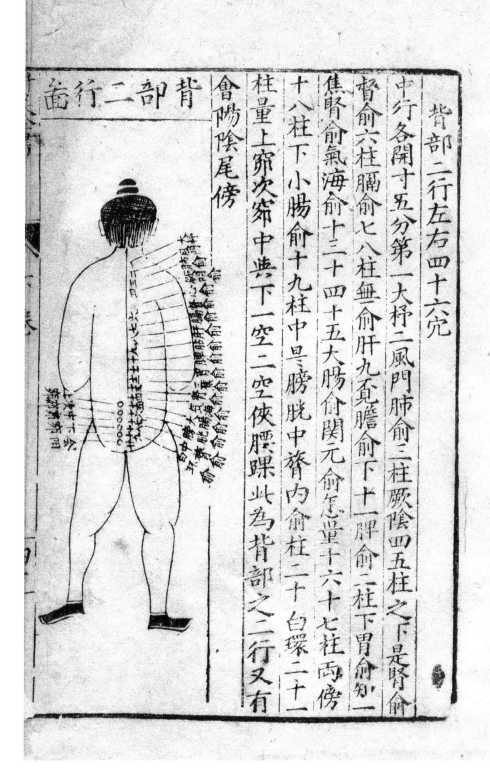

背部三行二十八穴

去脊左右各三寸第二柱下名附分魄户第三柱下取膏肓四柱下三分神堂第五譩譆六膈關七柱八魂門陽綱十意舍十一胃倉十二柱下肓門十三直肋間志室十四柱下看胞肓二穴十九取秩邊二十柱下止

背部三行之圖

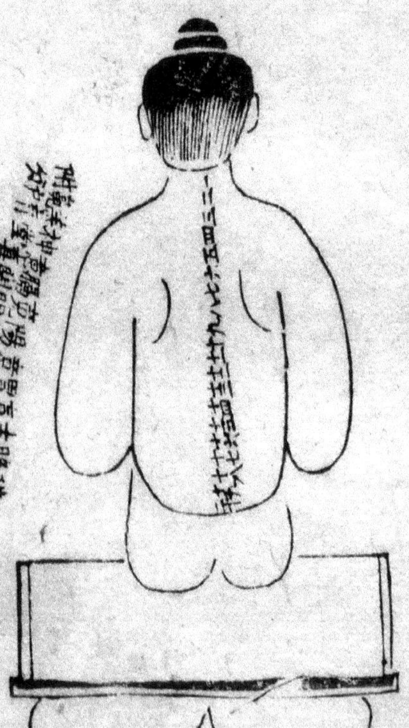

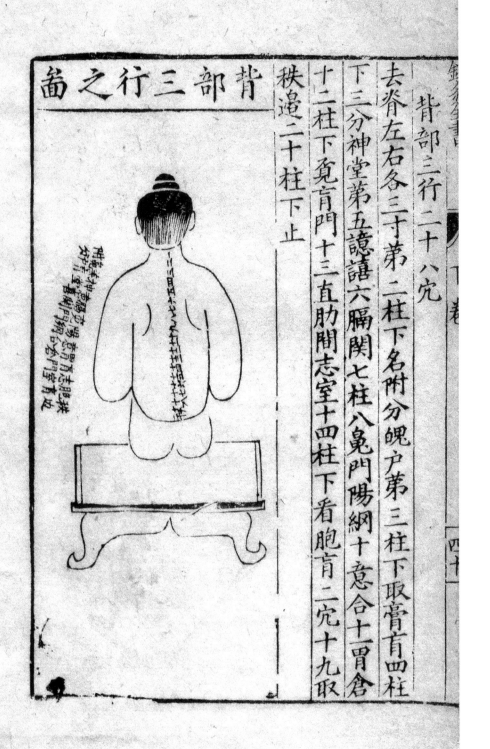

側頸部左右十八穴

曲頰之後名天容缺盆之上尋天牖完骨之下髮際上天柱之穴天容後頸上大筋是天窗扶突後寸天鼎双扶突人迎後寸半缺盆有下横骨當人迎穴在頸大脉此穴禁灸令人傷水突穴在人迎下氣舍又居天突傍

側頸部之圖

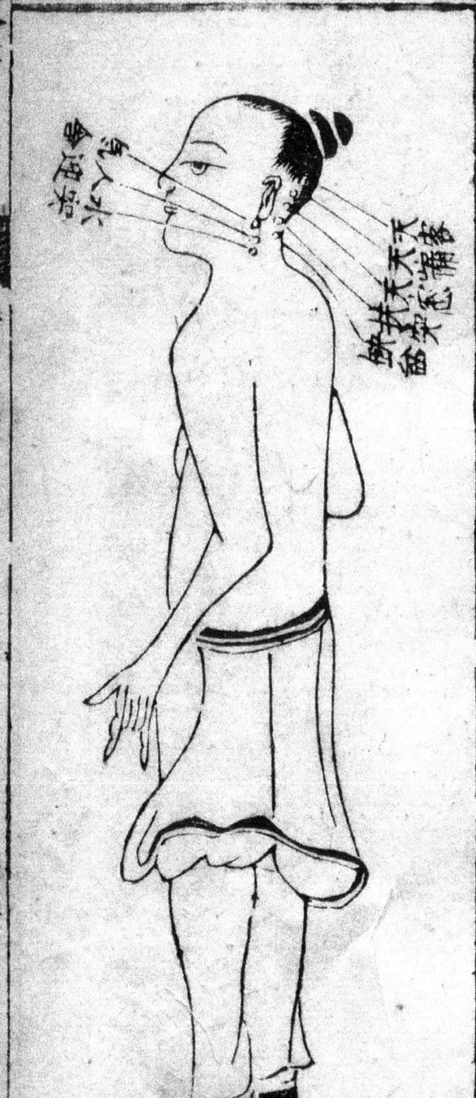

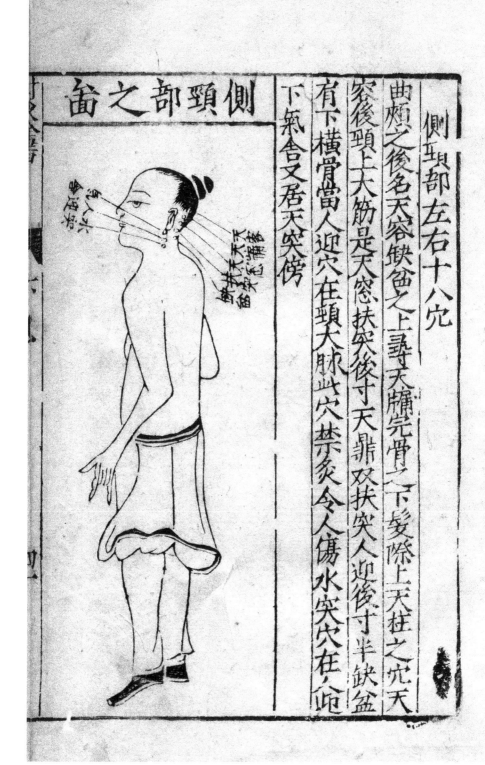

膺部中行七穴

天突喉下宛、中璇璣突下一寸旋璣下一寸華蓋穴蓋下寸六分紫宮穴玉堂宮下一寸六兩乳中間是膻中、庭膻下仍寸六四穴各寸六分同

膺部中行之圖

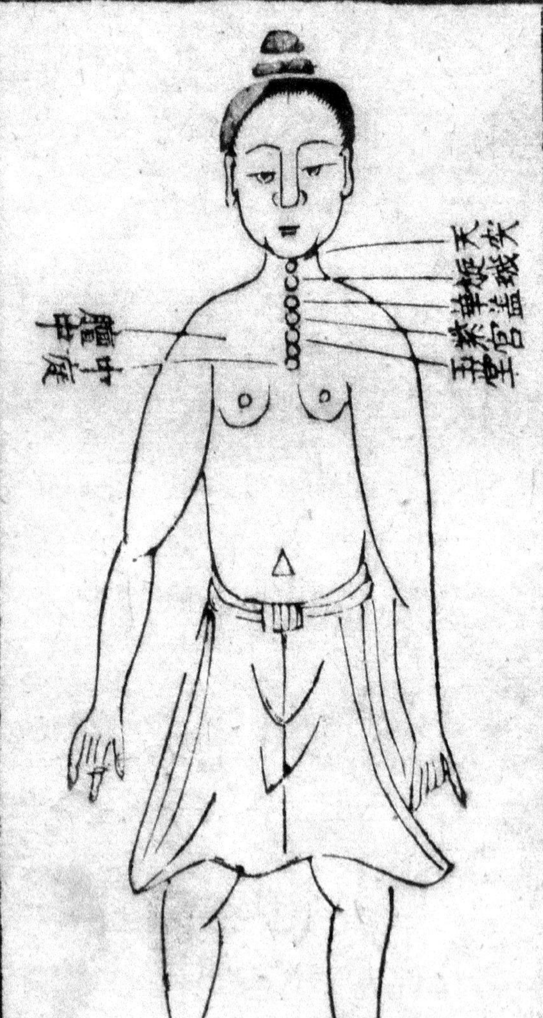

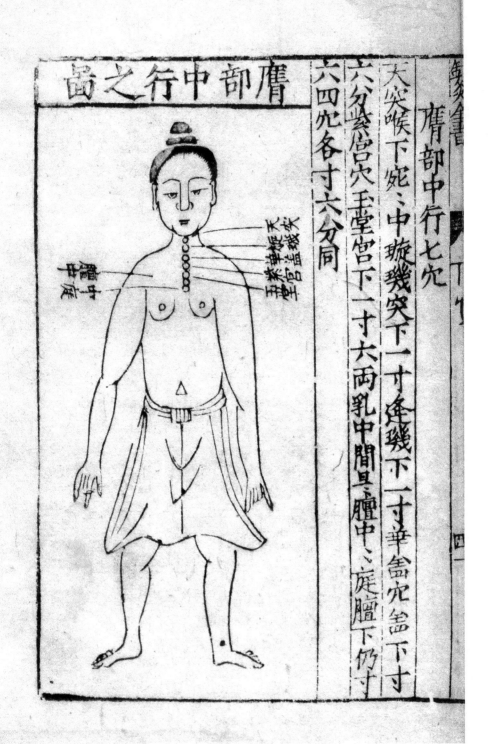

膺部二行之圖

膺部二行左右十二穴

腧乃之傍二寸兩巨闕之下尋腧府府下寸六分彧中彧中寸六神藏逢神下寸六靈墟穴墟下寸六到神封封下寸六步郎是膺部二行穴書矣

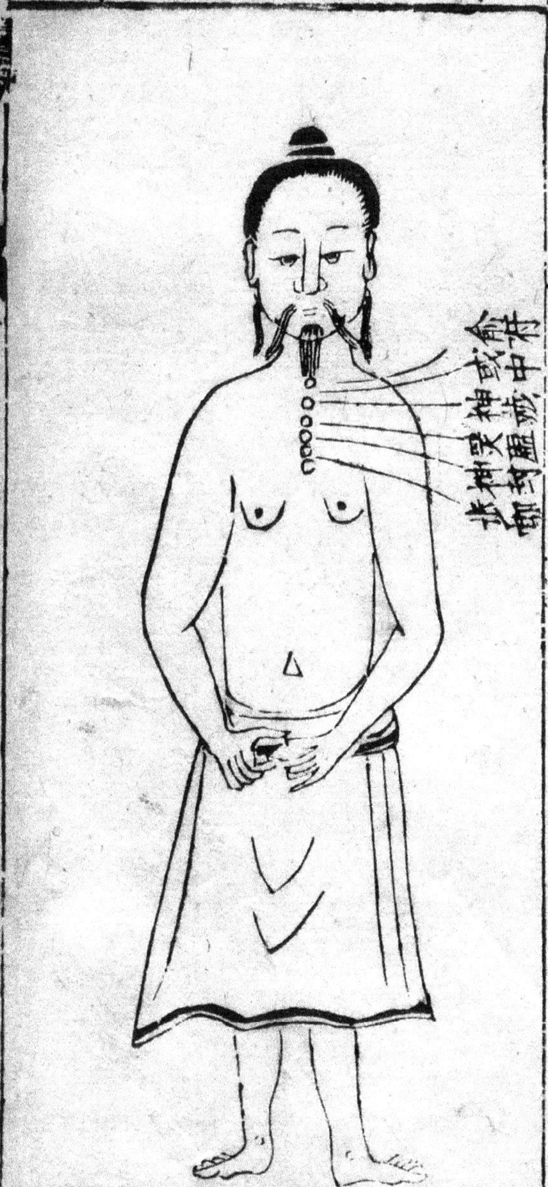

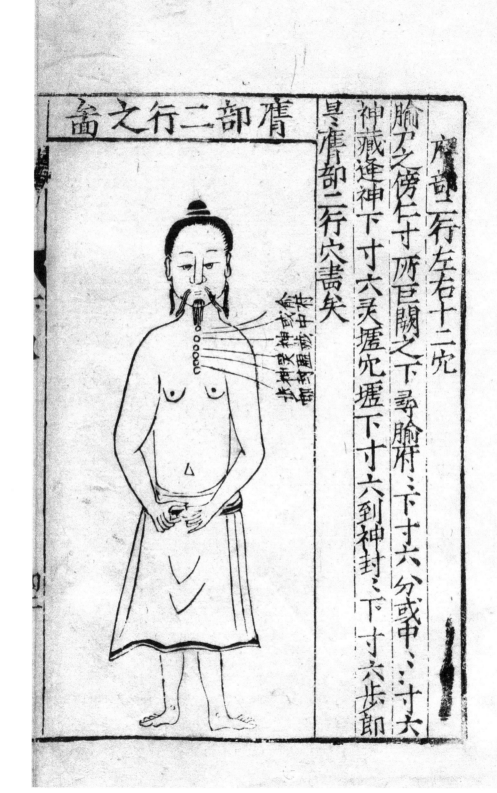

膺部三行之圖

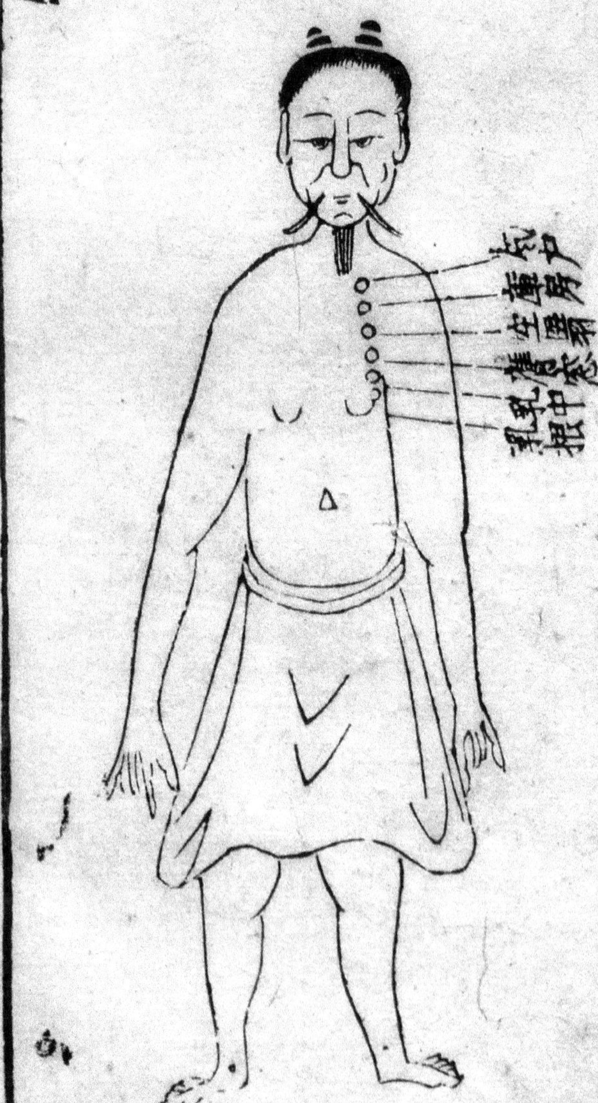

膺部三行十二穴

腧府之傍二寸尋穴名气户生胸襟庫房屋翳膺窗共各

去一寸六分真乳中正當乳之上乳根乳下六分相

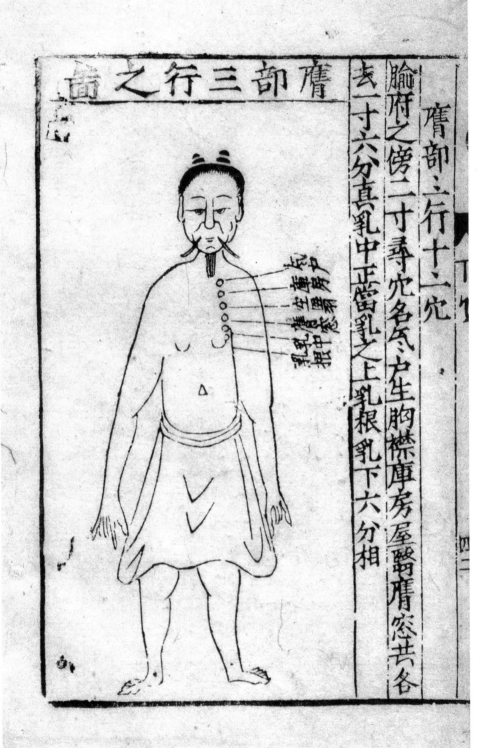

膺部四行之圖

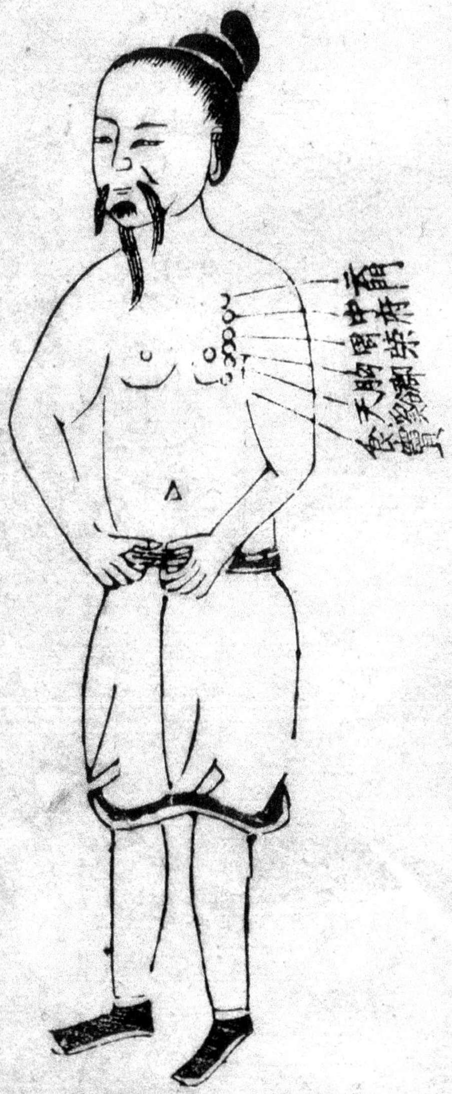

膺部四行十二穴

氣户兩傍二寸分巨骨之下尋雲門雲下一寸是中府周榮次下六分胸鄉天谿并食竇各下一寸六分同

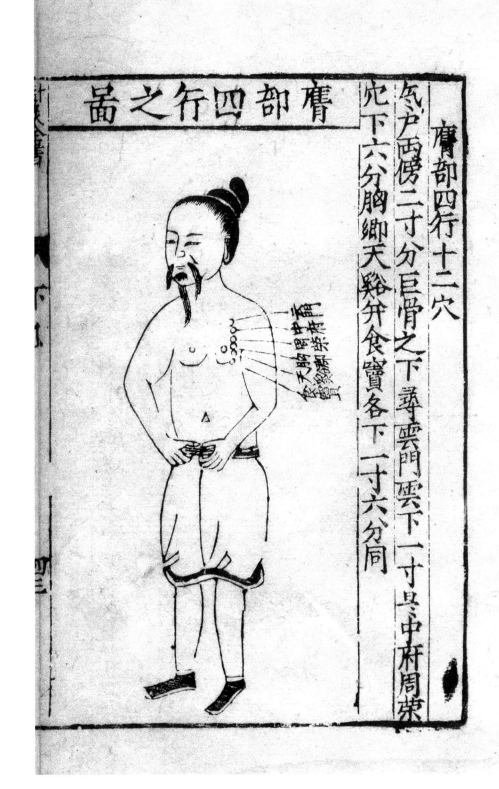

側腋部 八穴

腋下三寸名淵腋腹前一寸名輒筋天池在乳後一寸大包腋下六寸甚

側腋部之圖

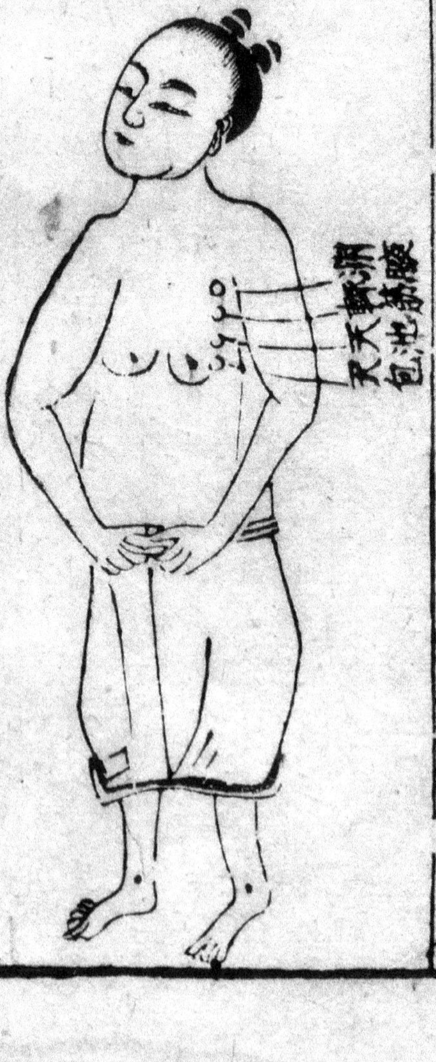

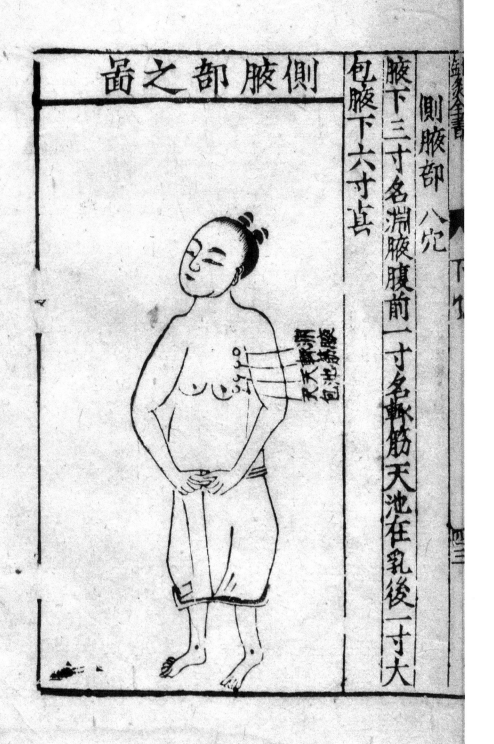

腹部中行十五穴

腹部中行尋鳩尾，蔽骨之下五分是。巨闕在尾下一寸，尾下二寸上脘記，尾下三寸中脘名，尾下四寸是建里，尾下五寸下脘中，尾下六寸水分比，神闕臍中气合真，臍下一寸陰交是，臍下寸半气海中，臍下二寸石門裡，臍下三寸名関元，臍下四寸中極底，曲骨尾際陷中求，會陰兩陰間是矣。

腹部中行之啚

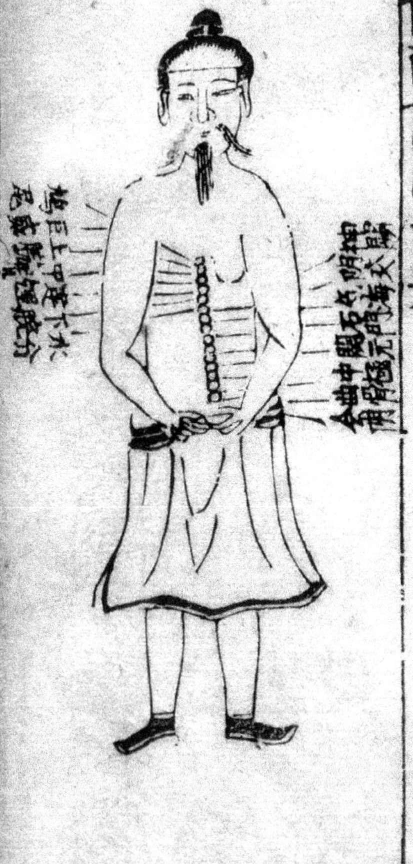

腹部二行左右二十二穴并三行二十四穴

幽門寸半巨闕邊下去一寸通谷然陰都石關及商曲肓俞中注四滿連氣穴大赫并横骨各下一寸分明言

幽門兩傍寸半是名曰不容依法取下有承滿與梁門關門太乙滑肉門上各下一寸當天樞二穴俠臍傍樞下一寸外陵是陵下二寸名大巨水道在巨下三寸道下二寸歸来比气冲又在歸来下鼠鼷之上一寸許

腹部二行三行圖

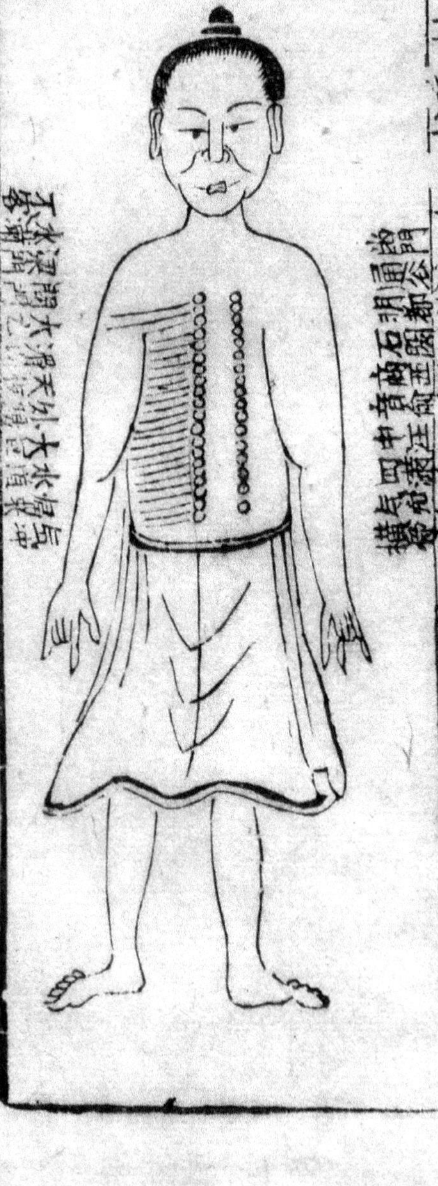

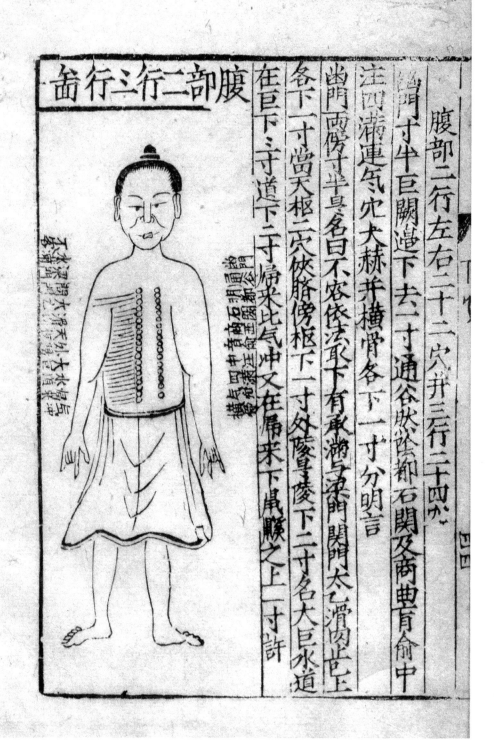

腹部四行左右十四穴

期門在腹肝之募不容穴傍寸半取日月門下五分求腹哀穴下一寸两大横哀下三分看府舍在結下三寸横下五寸冲門斷

腹部四行之圖

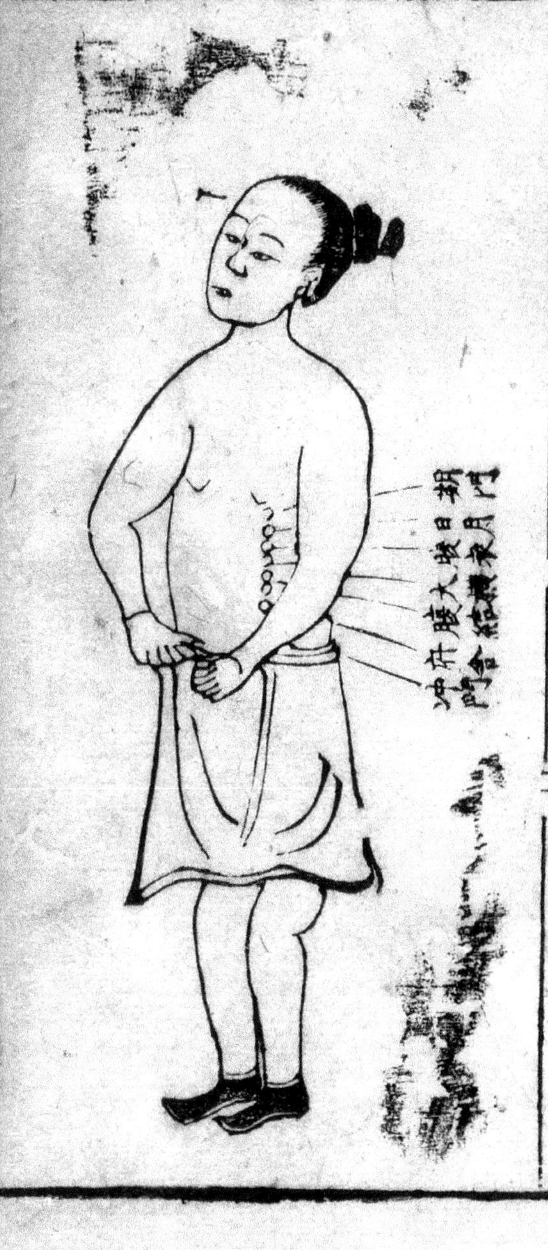

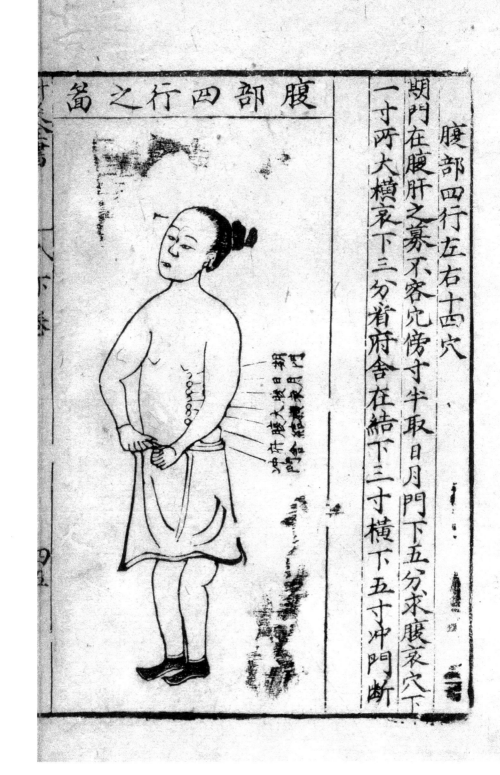

側脇部左右十二穴

章門脾募季筋端監骨腰中京門看帶脉腋下一寸八五樞帶下三寸安五寸三分章門下維道有穴真無價居髎合取八寸三脇堂二骨門腋下

側脇部之啚

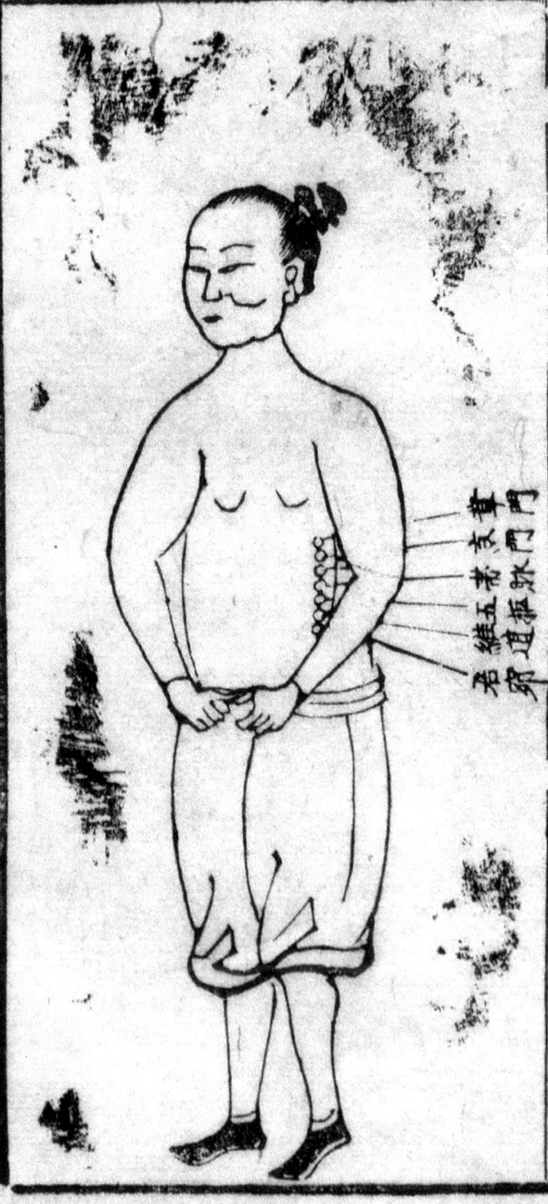

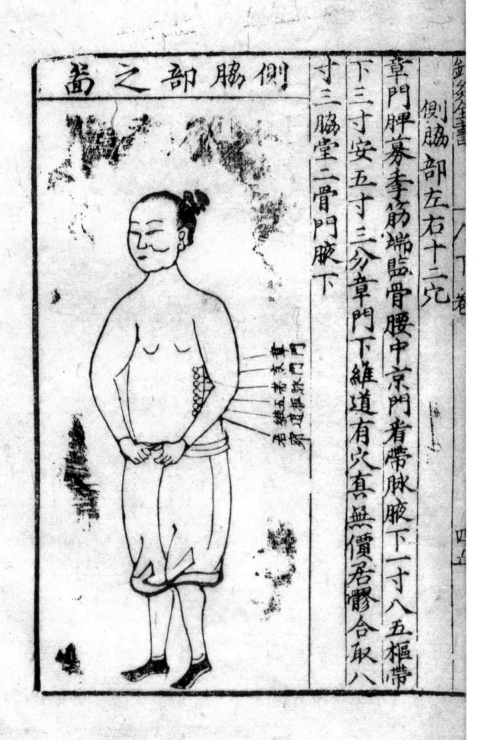

陽證中風不語痰涎壅塞

先針無病手足

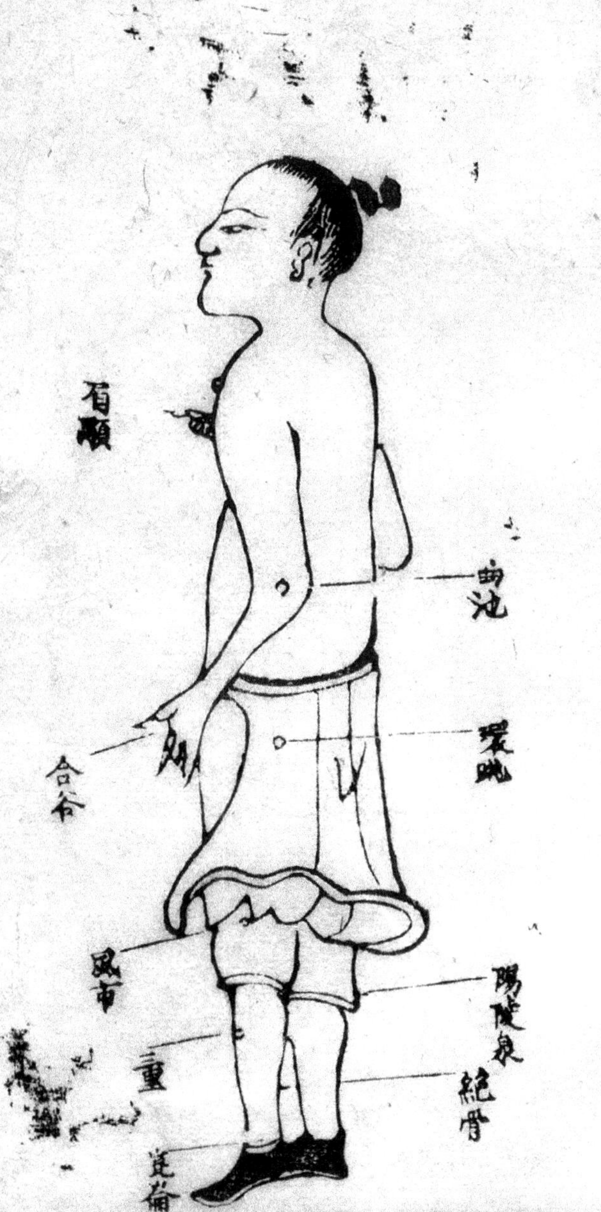

陰證中風筋脉拘攣

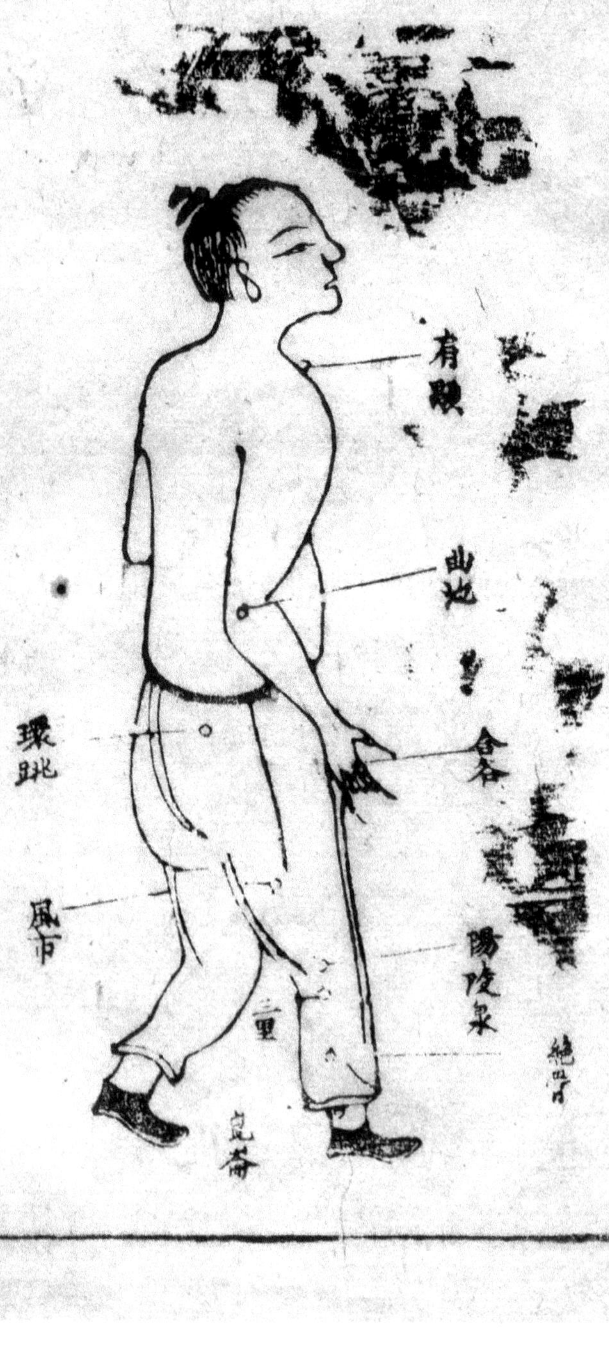

中風不省人事

中風口禁不開

手中指相合灸之尤妙

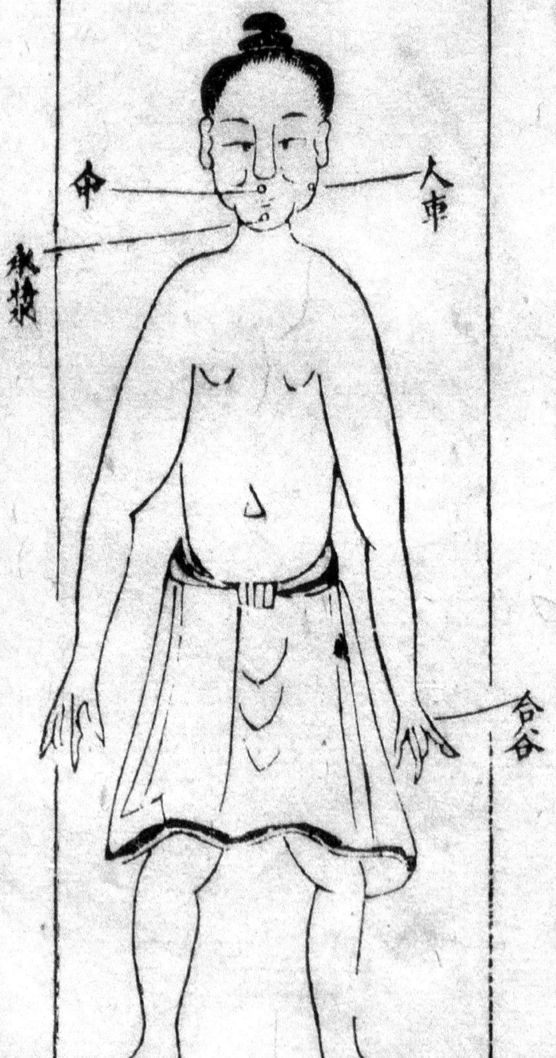

中風口眼喎斜

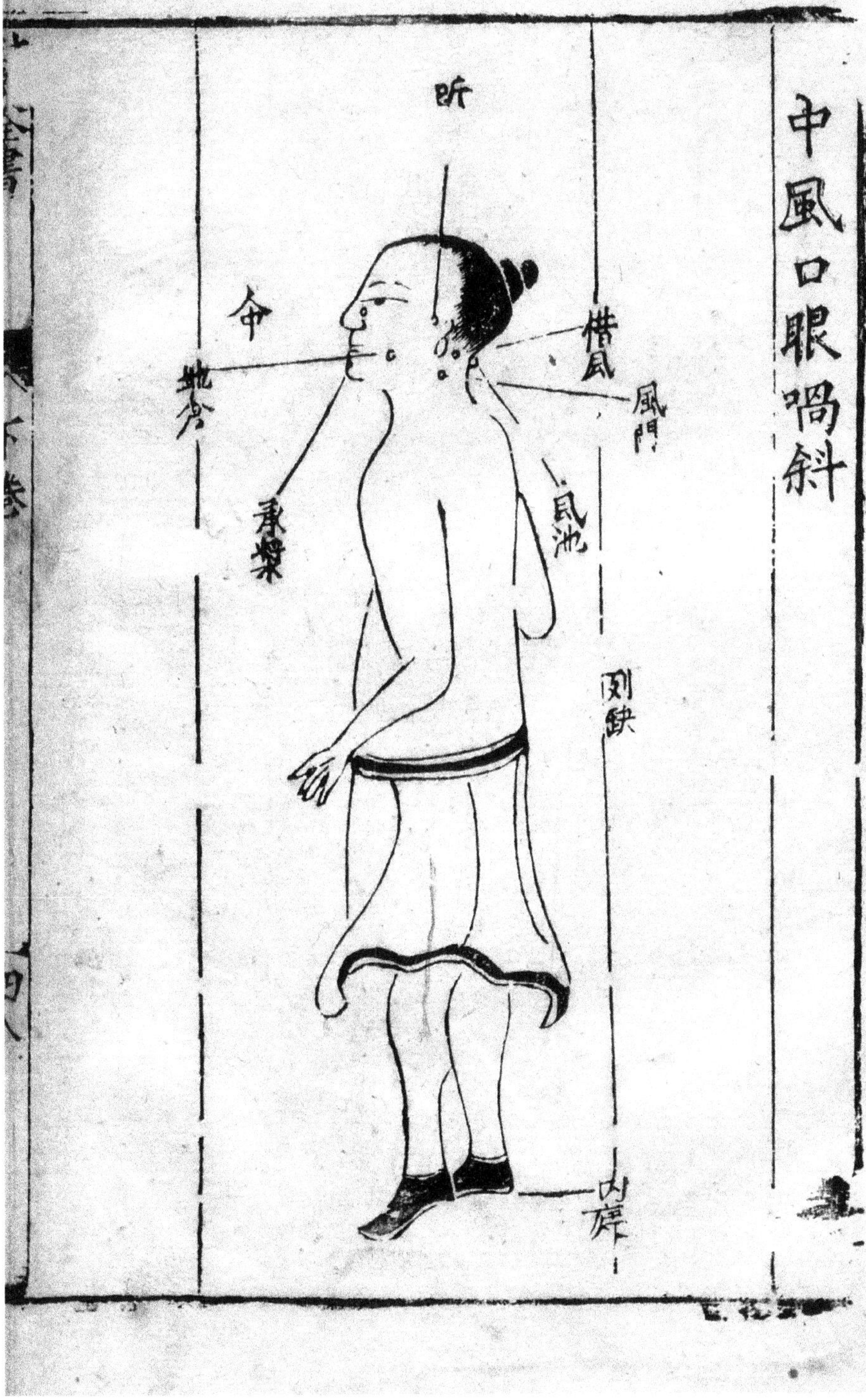

半身不遂風

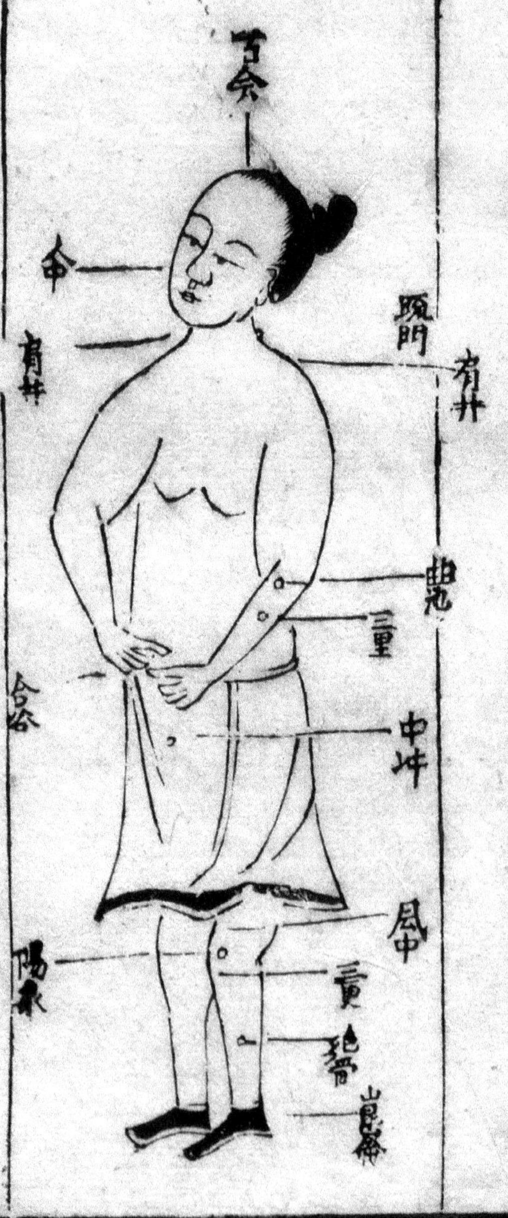

中風左癱右瘓

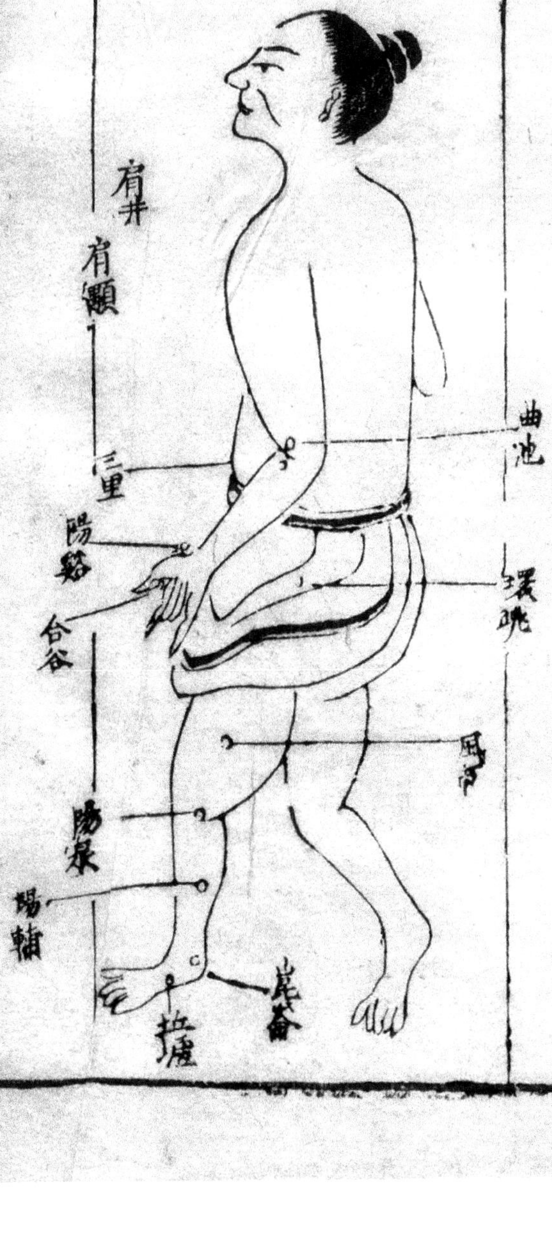

風痓證腰脊強

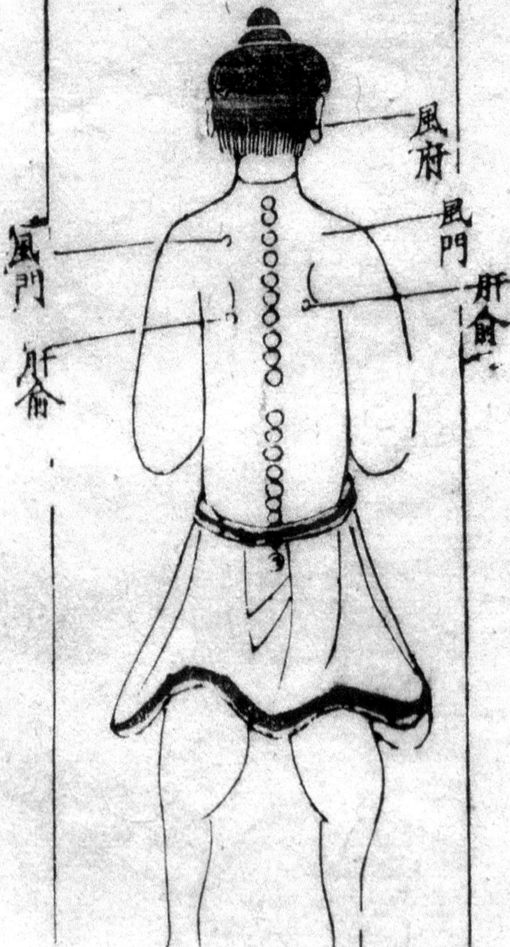

傷寒頭痛

傷寒頭項强

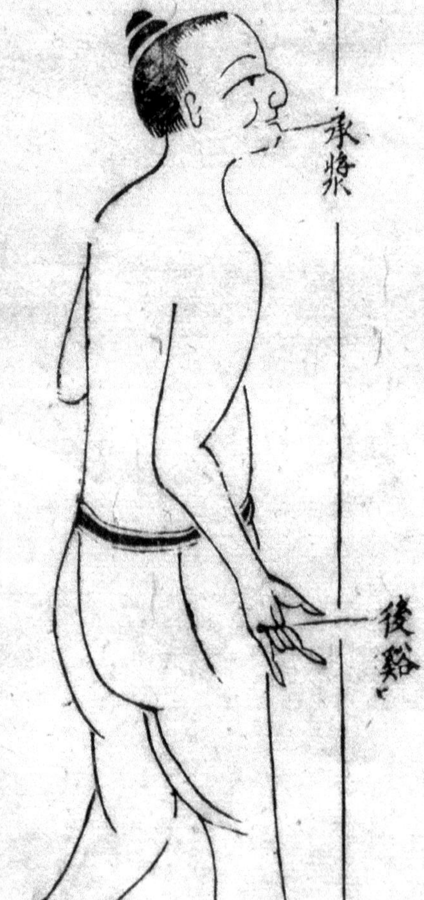

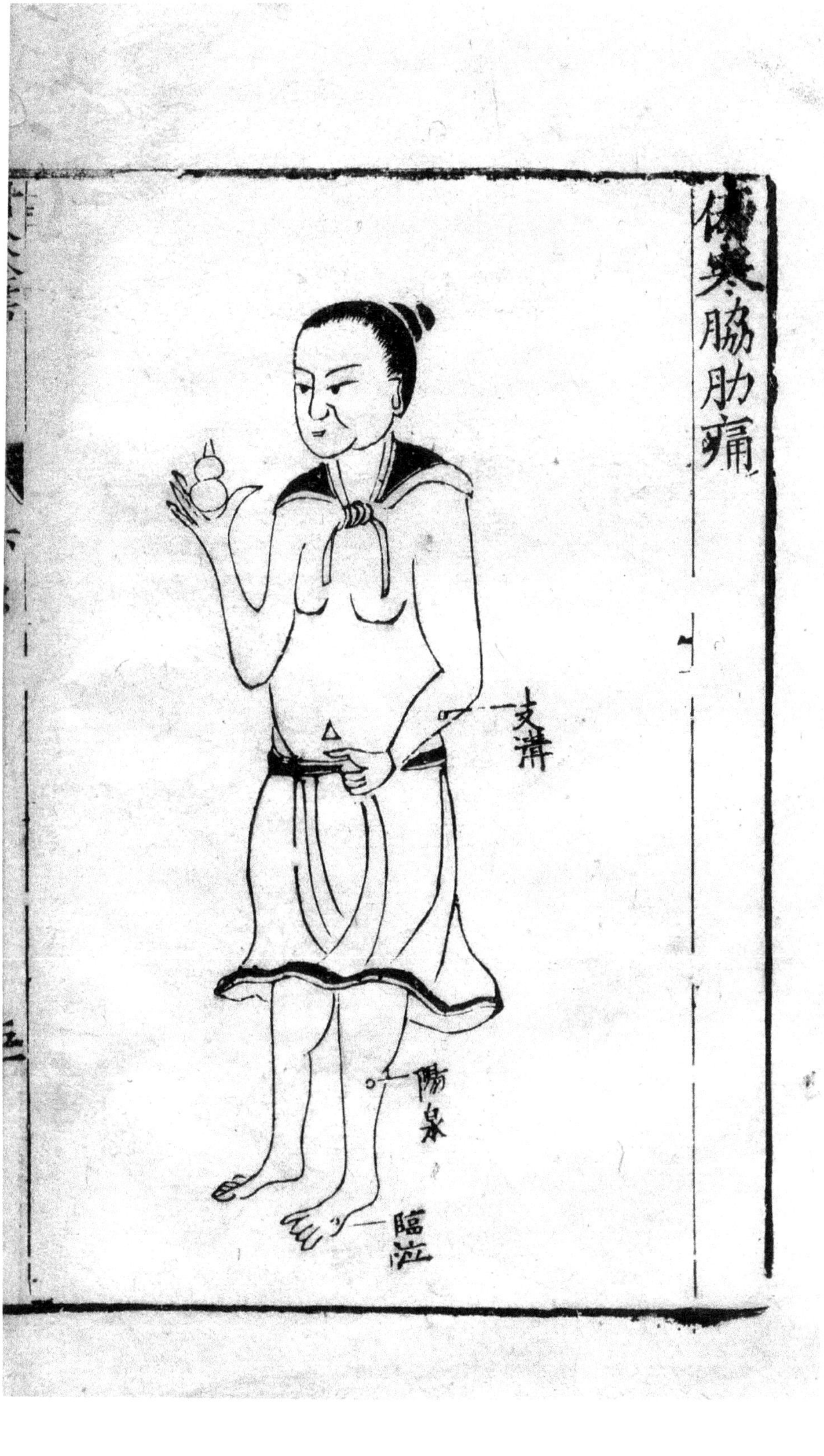
傷寒脇肋痛
支溝
陽泉
臨泣

傷寒胸膈痛

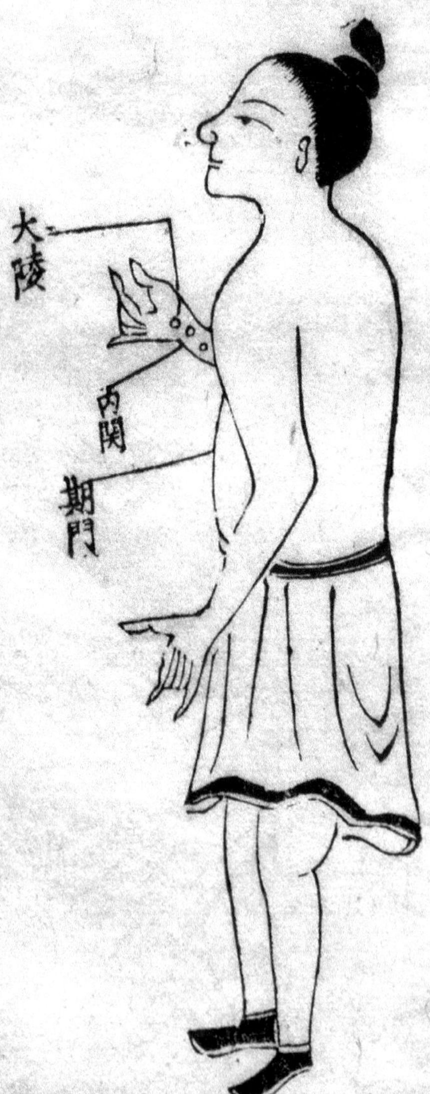

傷寒發熱

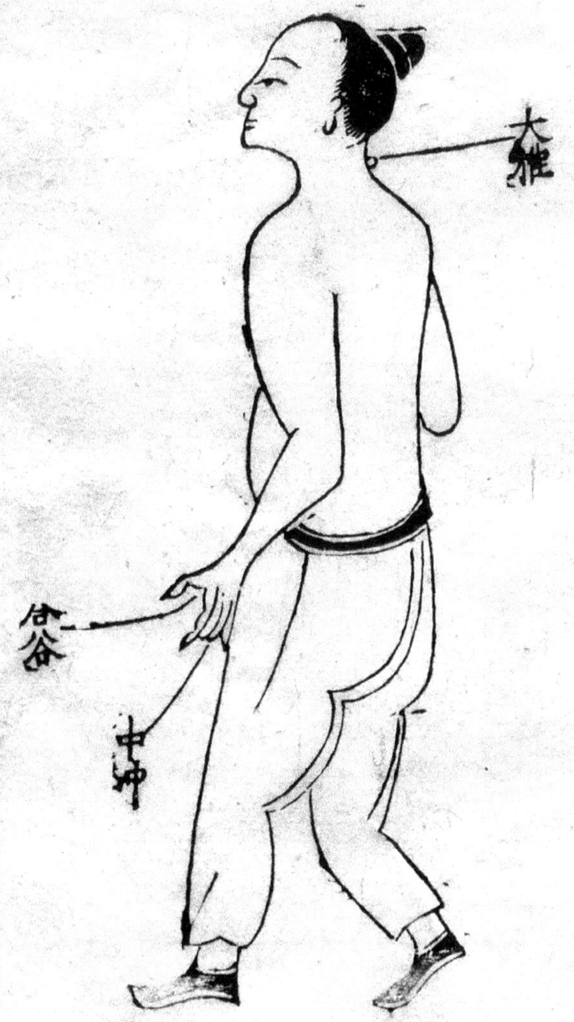

傷寒惡寒發熱

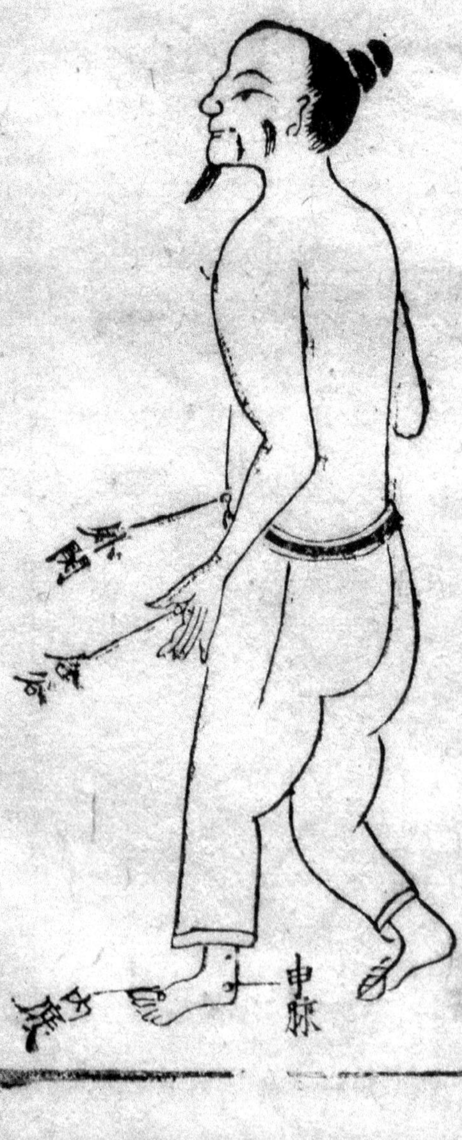

傷寒大熱不退

鍼灸全書　下卷

傷寒熱退再發

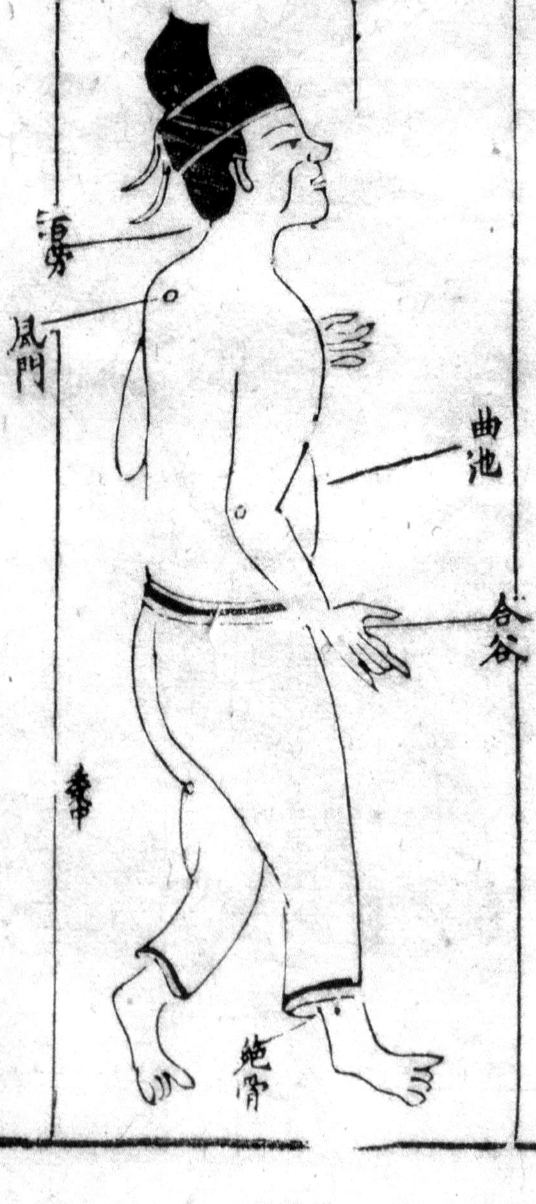

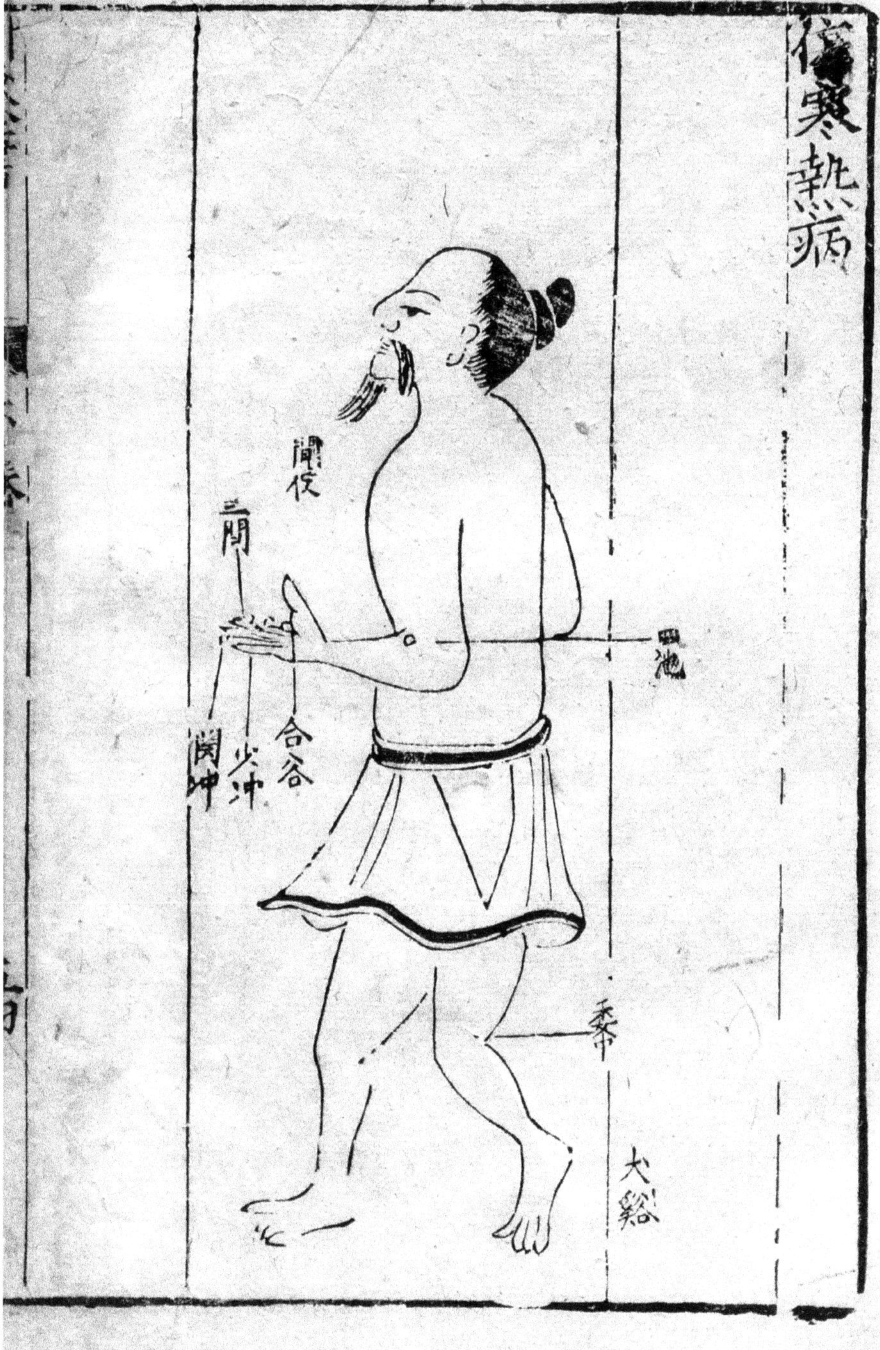
傷寒熱病
間使
三間
曲池
合谷
少冲
關冲
委中
太谿

傷寒温病

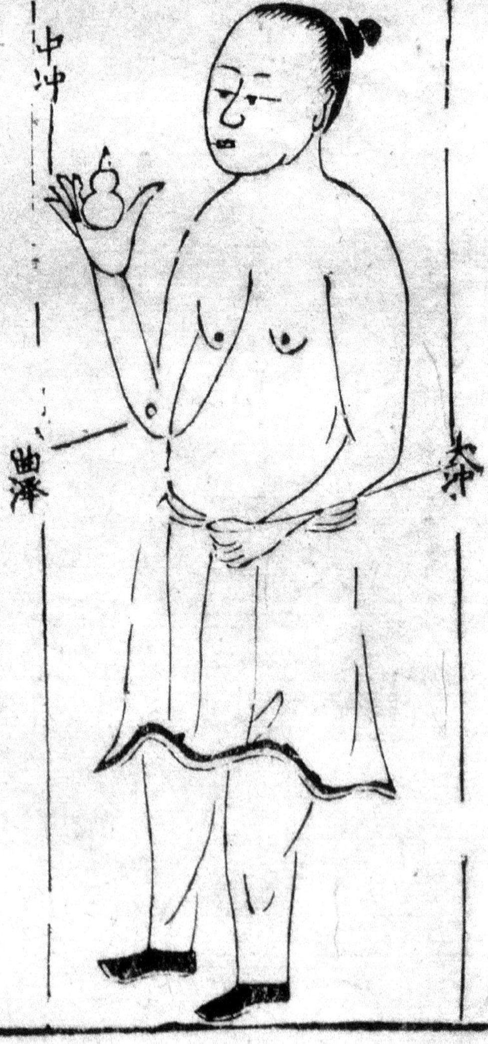

傷寒惡風自汗

傷寒無汗

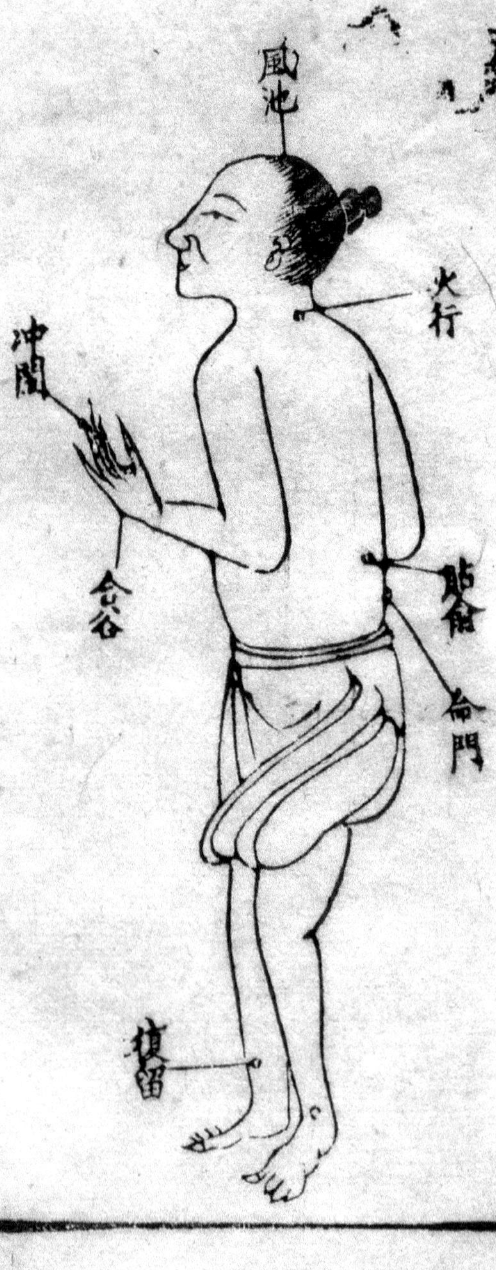

傷寒汗不止

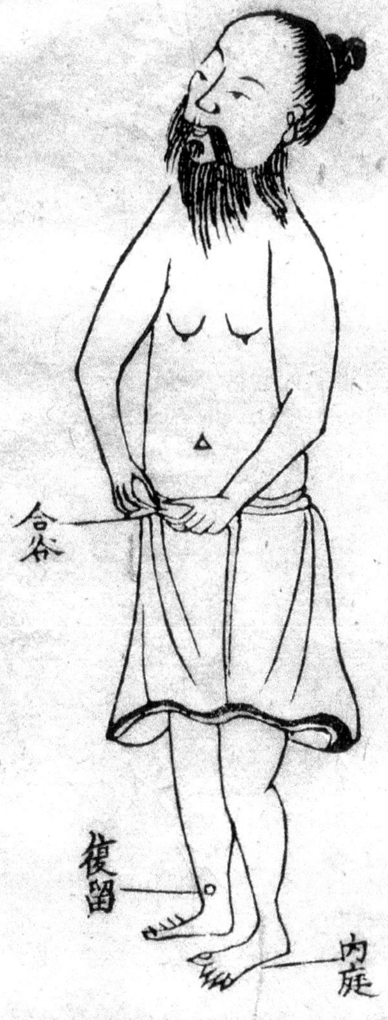

傷寒咳嗽

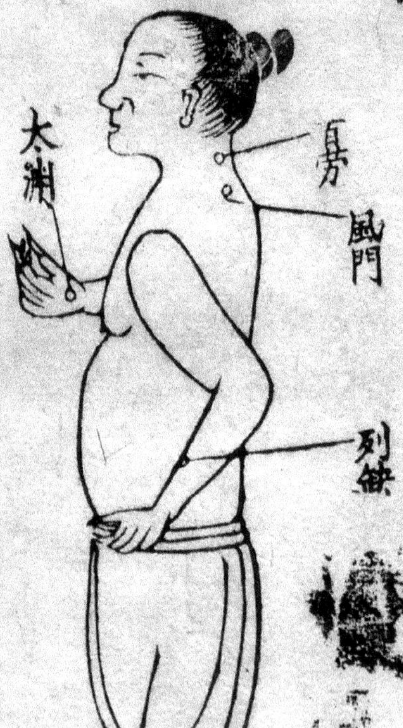

傷寒氣喘

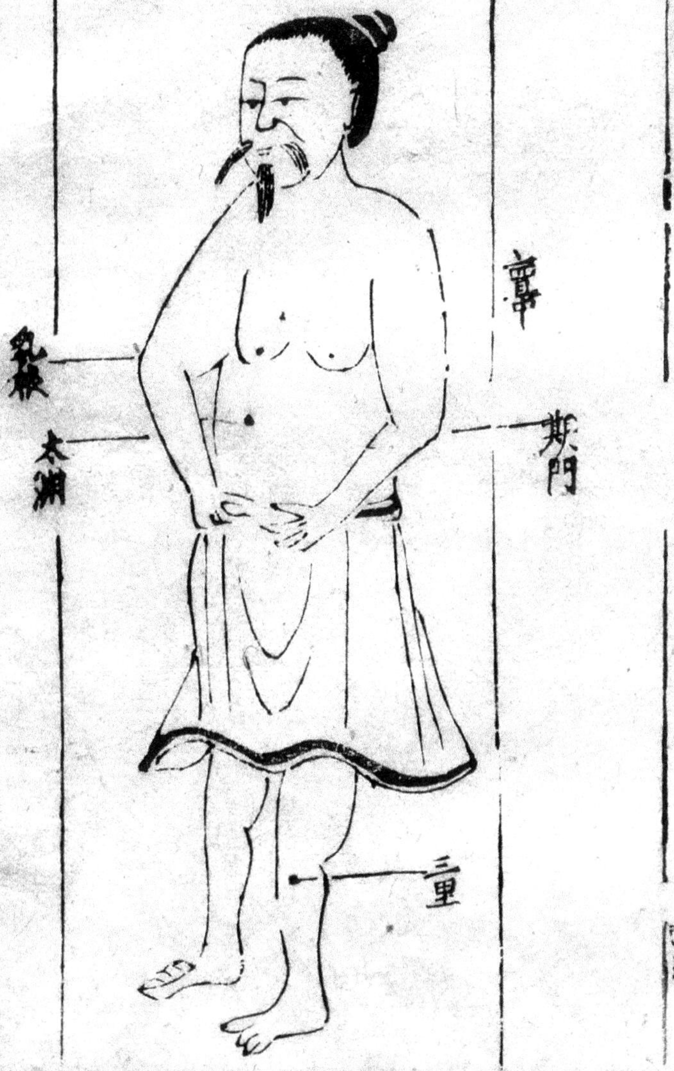

傷寒咽喉閉

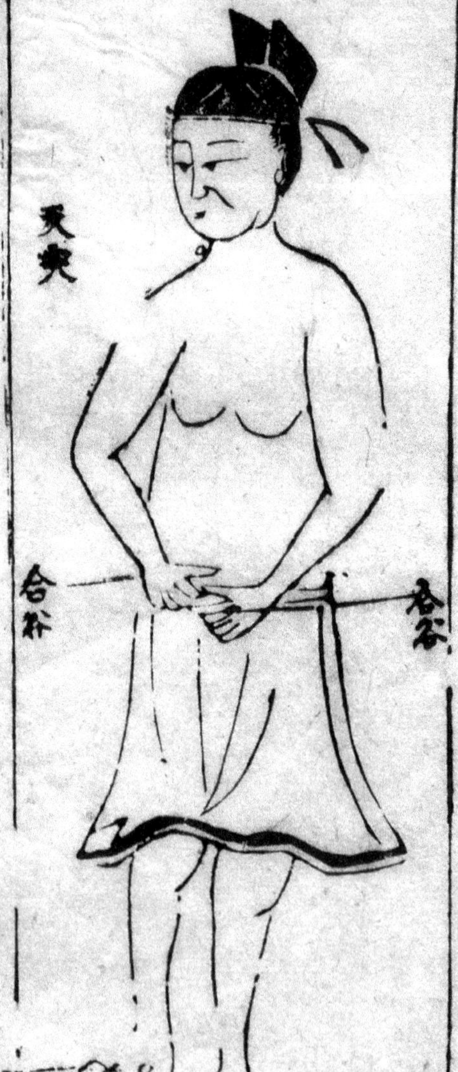

傷寒結胸

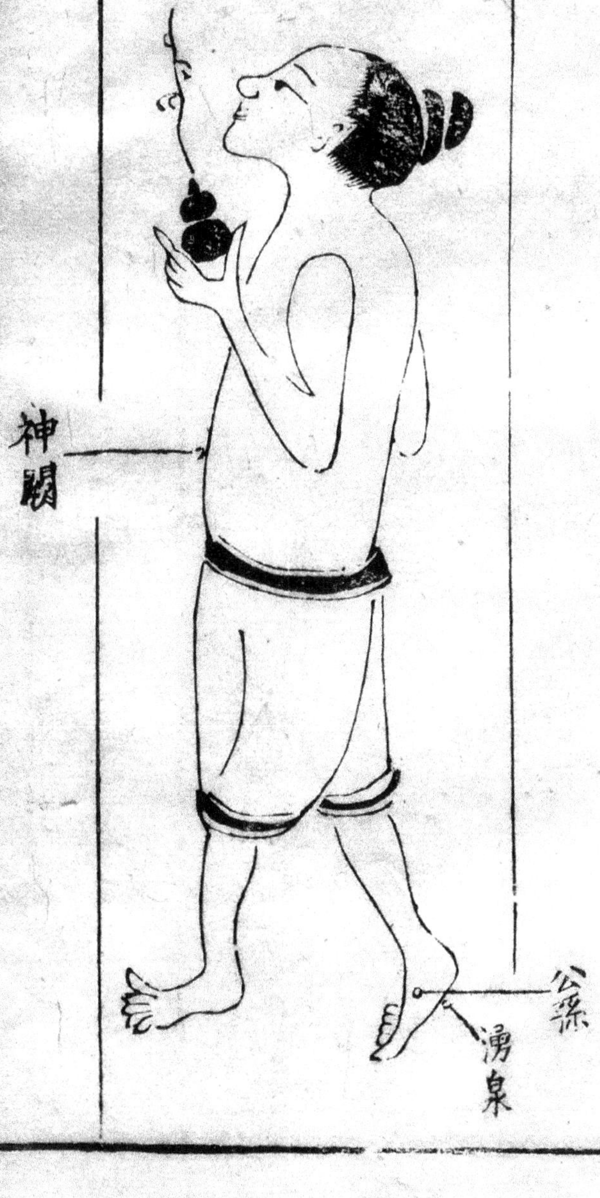

傷寒小便不通

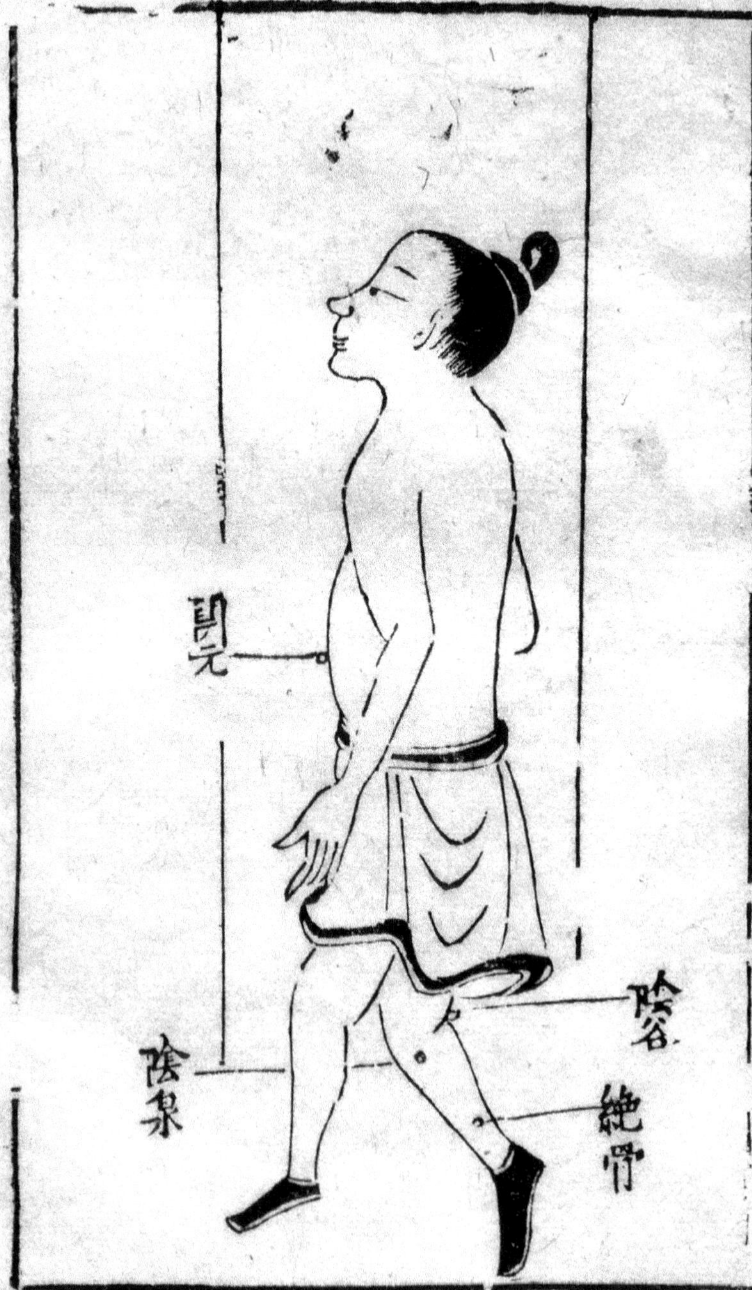

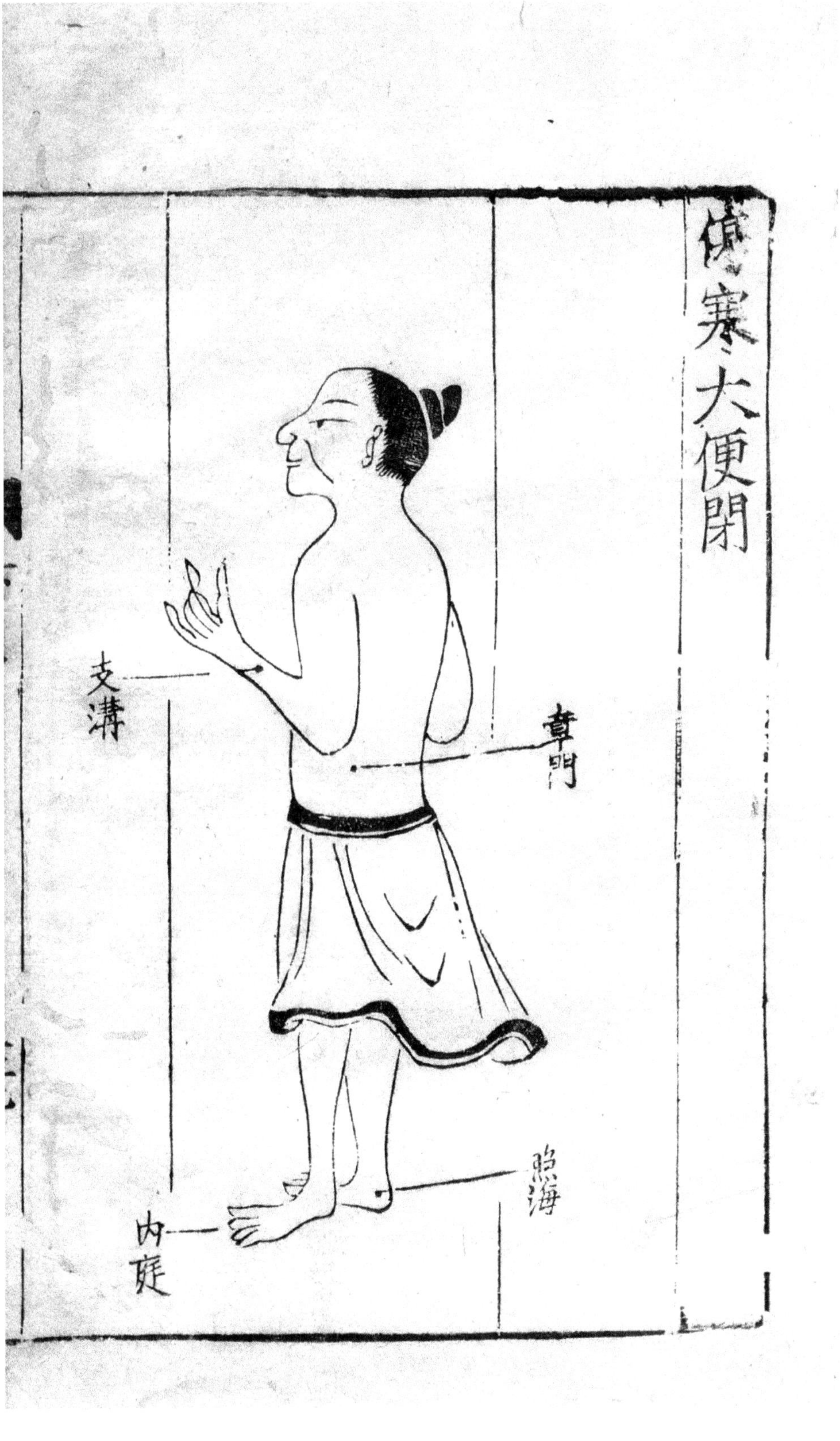
傷寒大便閉
支溝
章門
照海
内庭

傷寒腰脊強痛

傷寒嘔吐

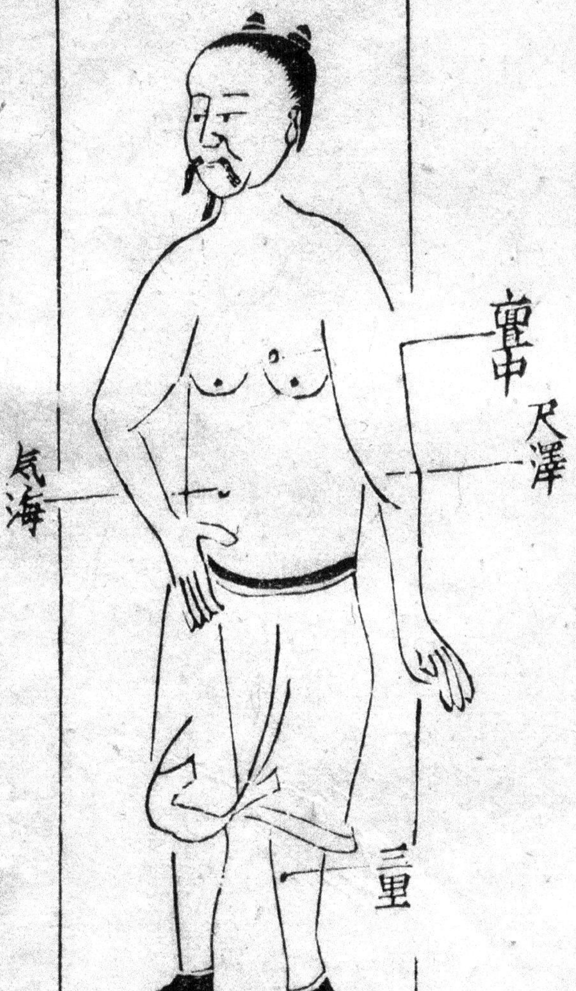

霍亂吐瀉轉筋

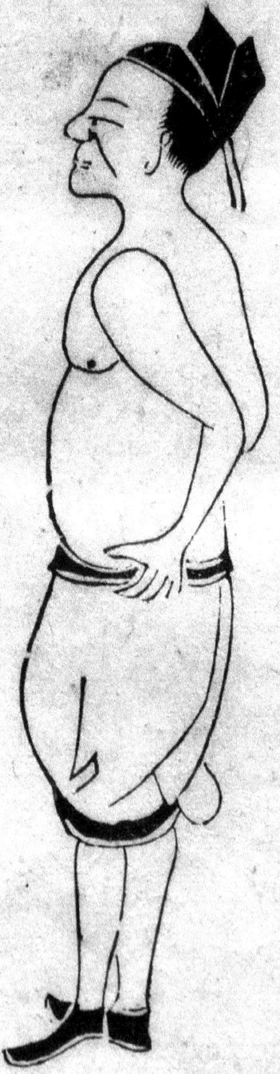

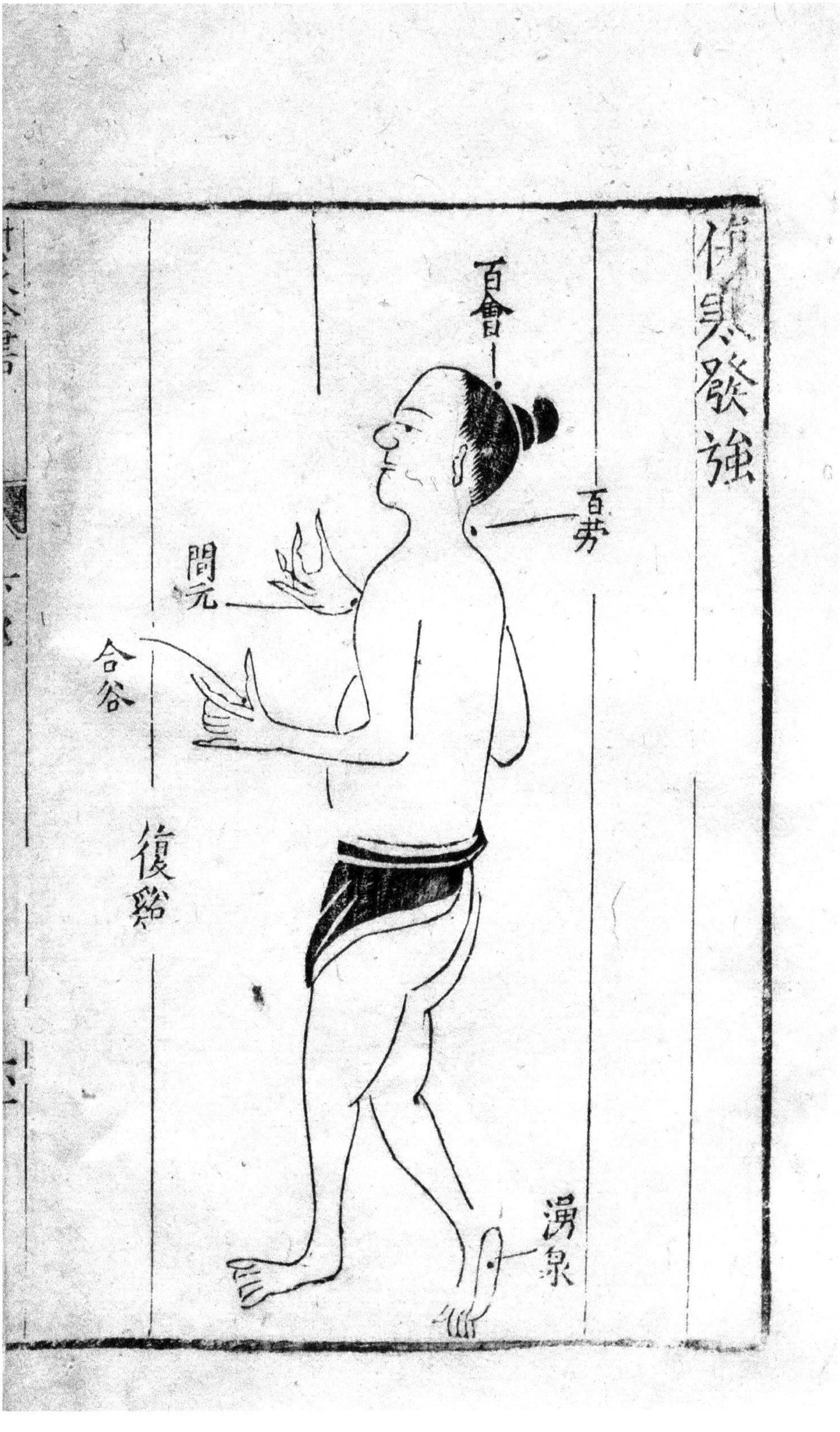
傷寒發強
百會
百勞
間元
合谷
復谿
湧泉

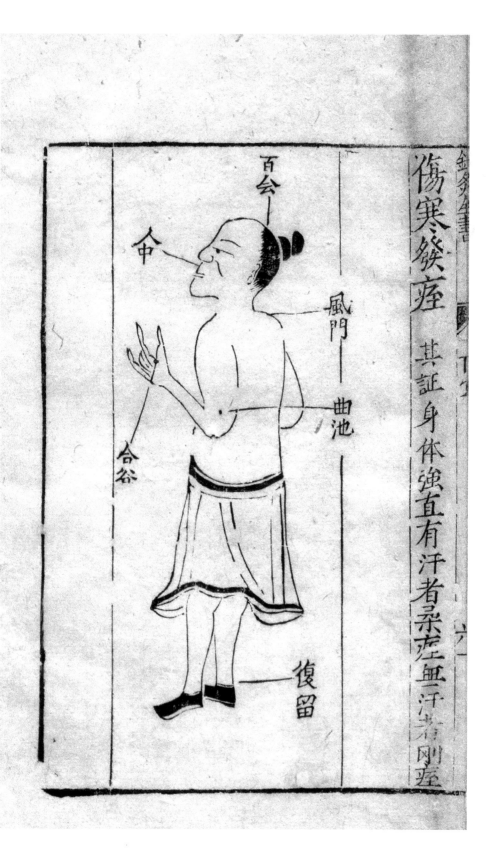

傷寒發痓　其証身体強直有汗者柔痓無汗者剛痓

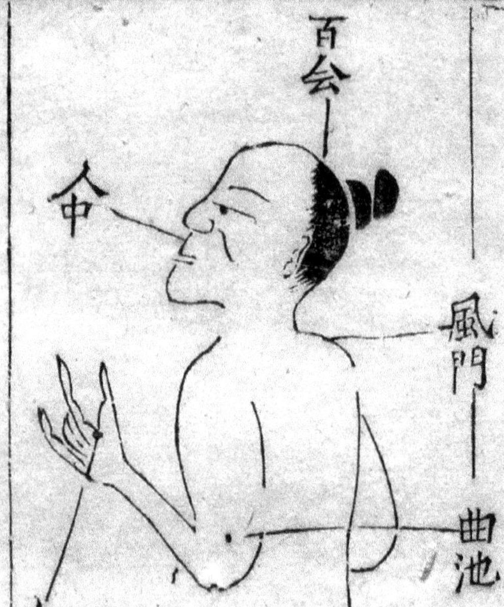

傷寒發班

傷寒過經不解

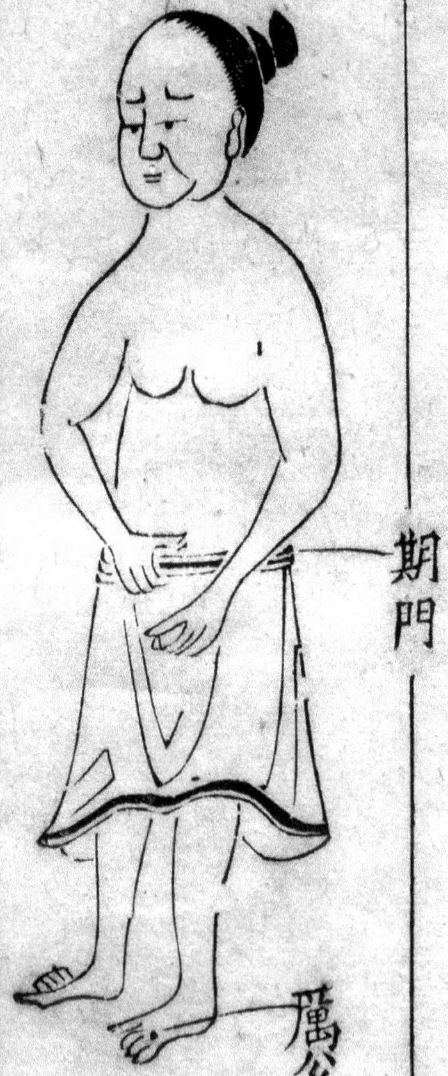

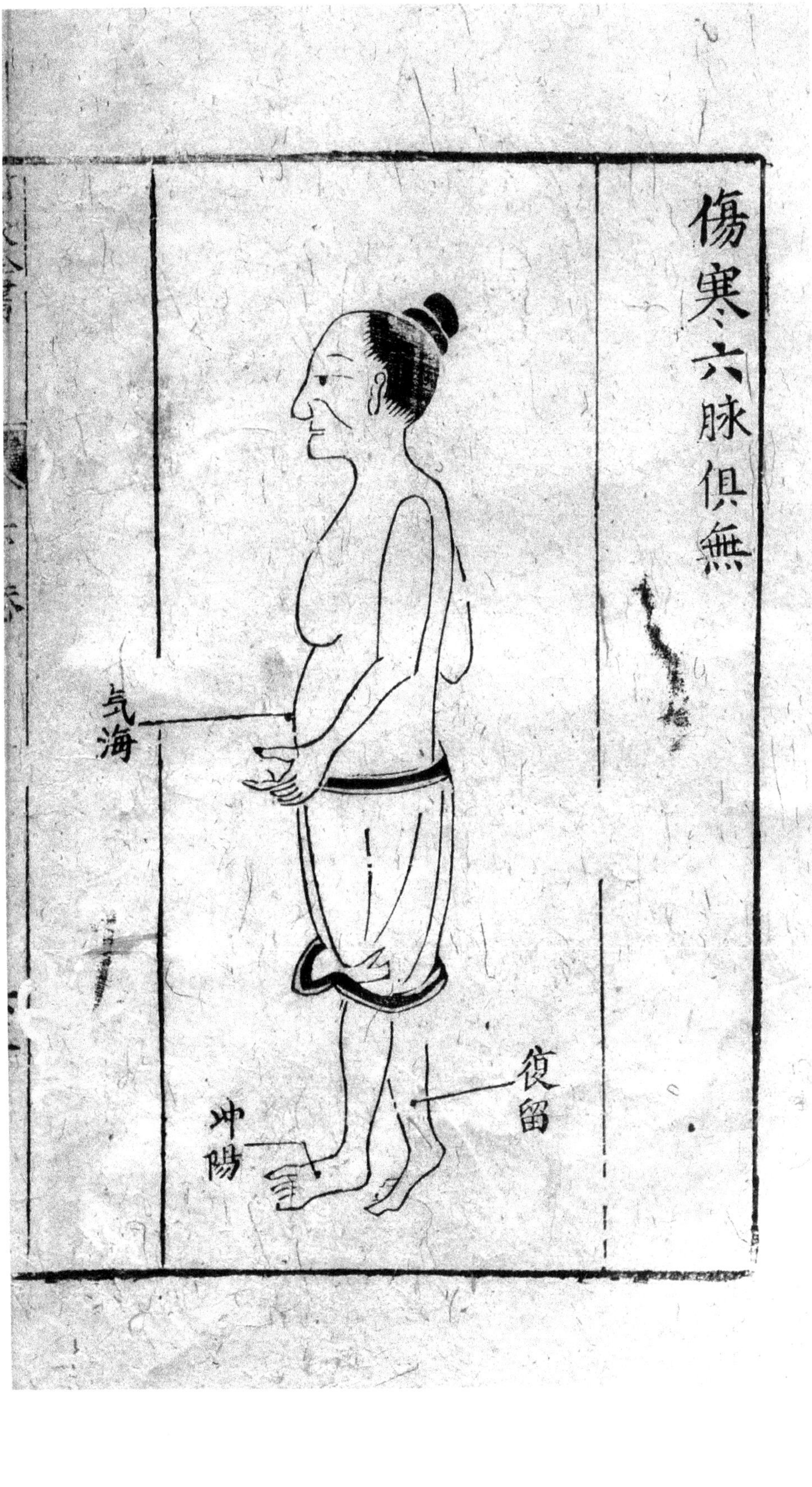
傷寒六脉俱無
气海
復留
冲陽

傷寒陰毒　腰背重痛心腹脹滿指甲黒舌捲唇黒四肢[illegible]不語

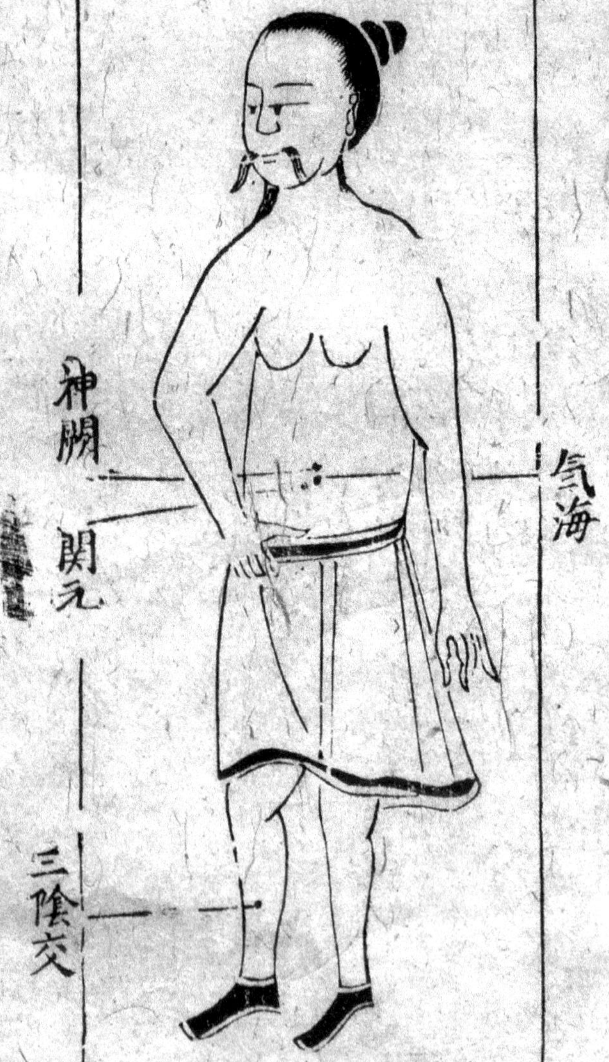

傷寒腹內脹滿

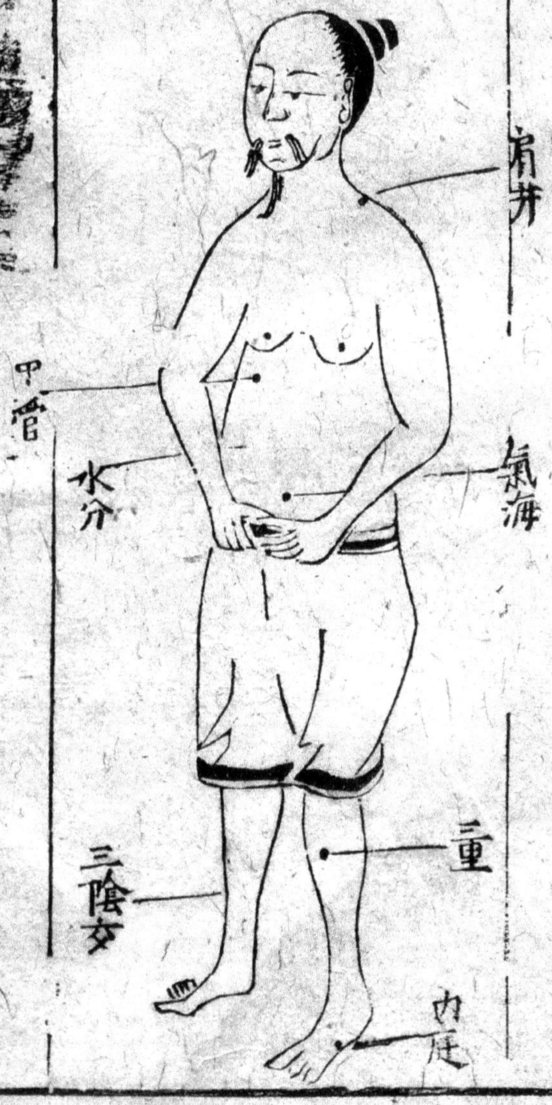

傷寒小腹脹大便閉結也

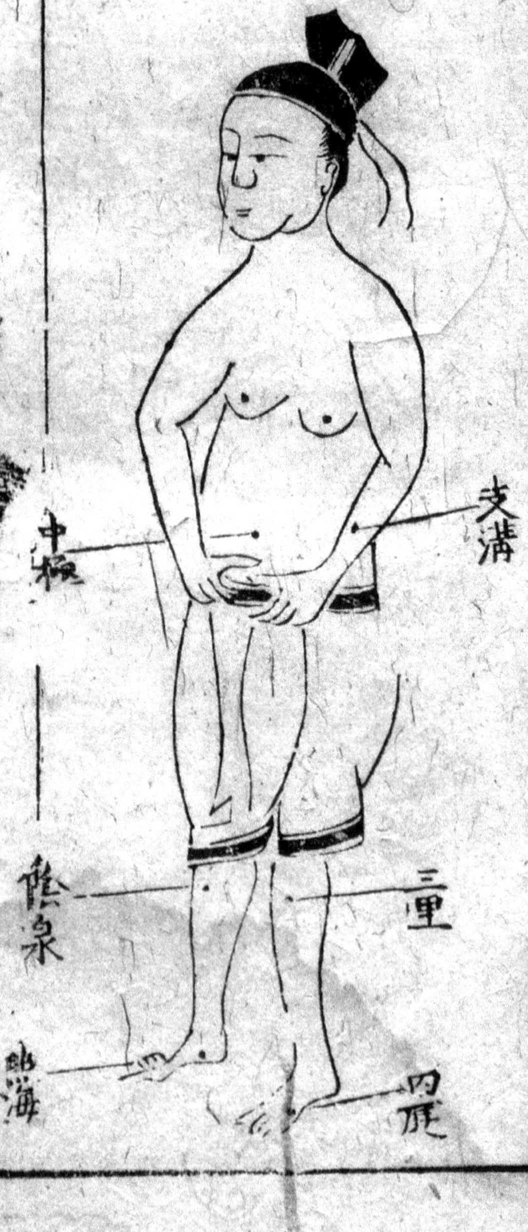

傷寒〻病後鼻清涕涕出不密肺感寒〻邪所致其證

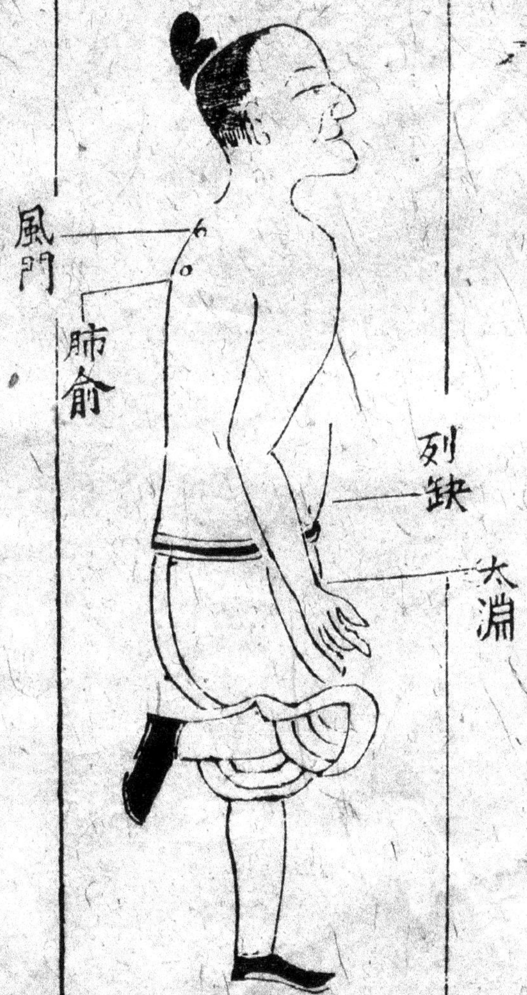

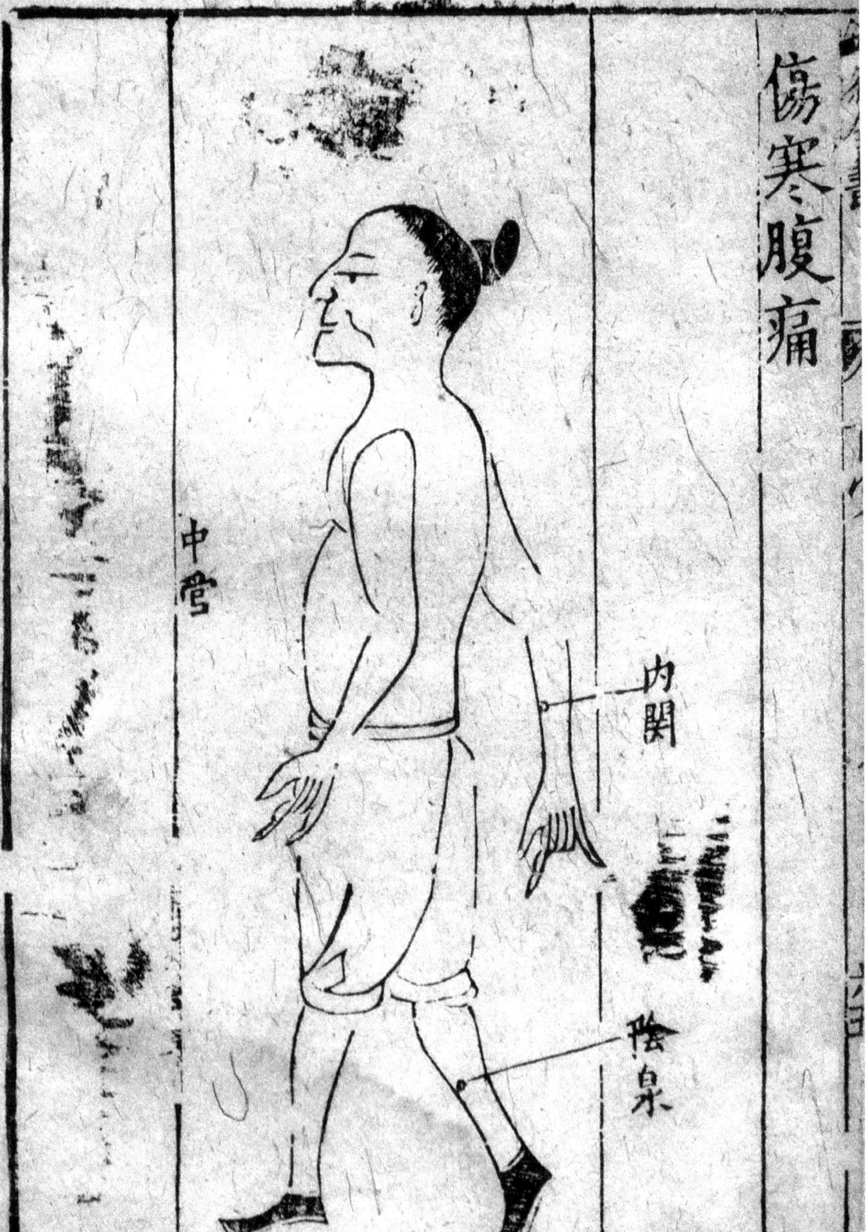
傷寒腹痛
中管
内関
陰泉

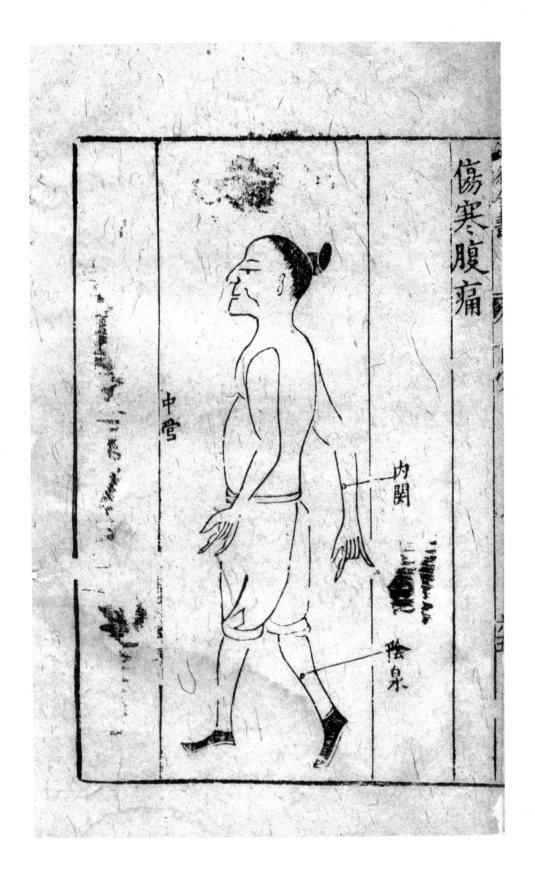

傷寒讝語

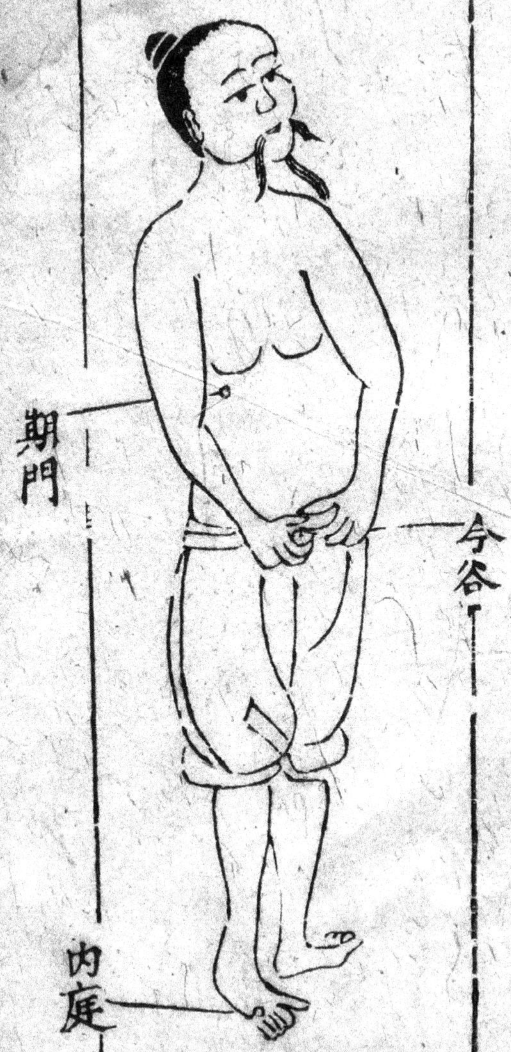

雜病大寒大熱

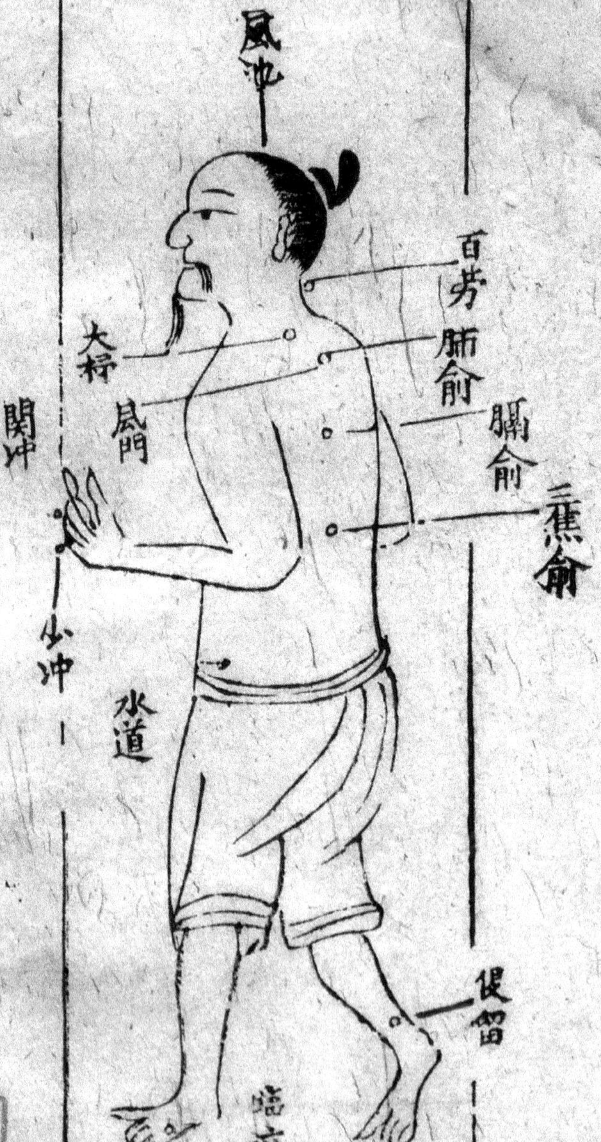

針灸全書

卷下之三

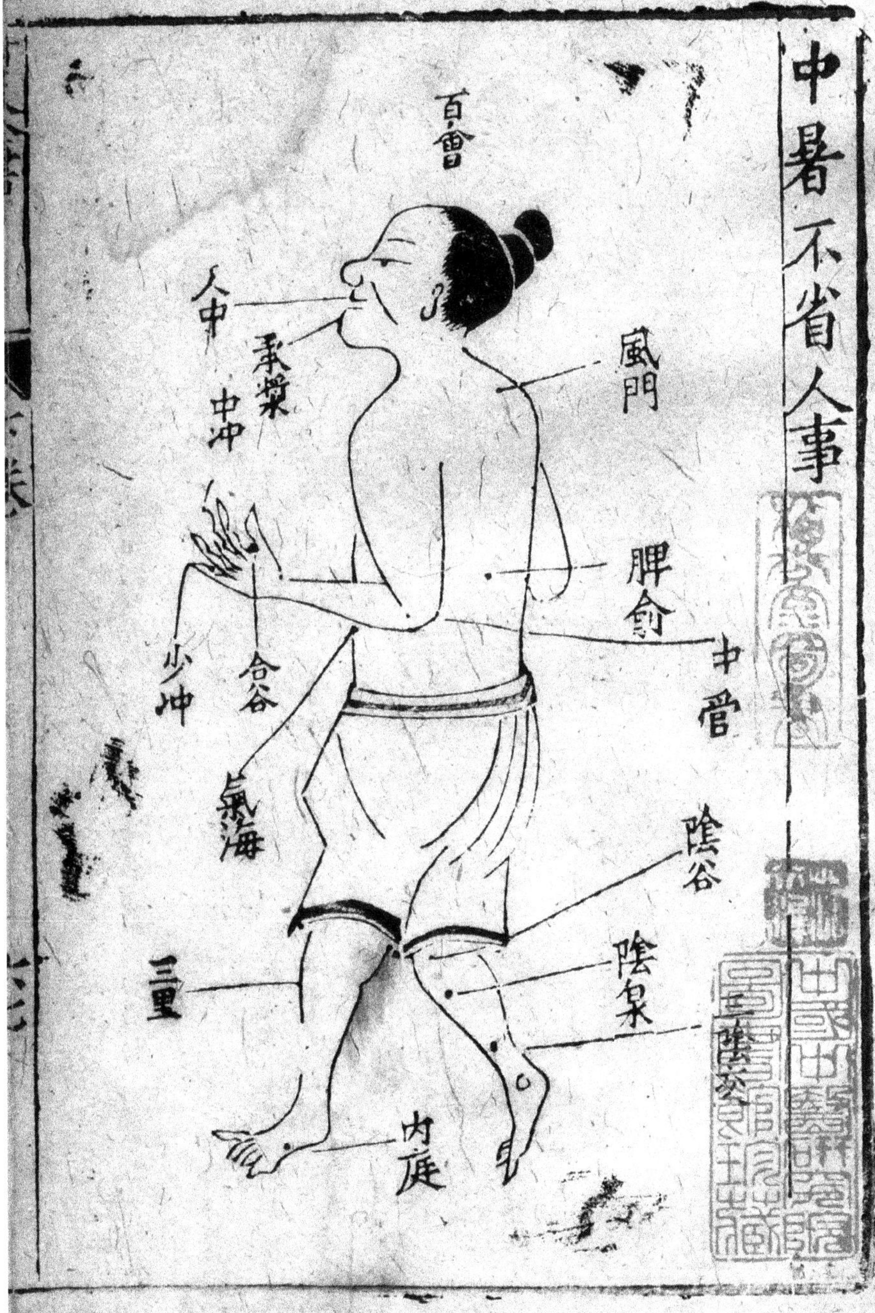

中暑不省人事

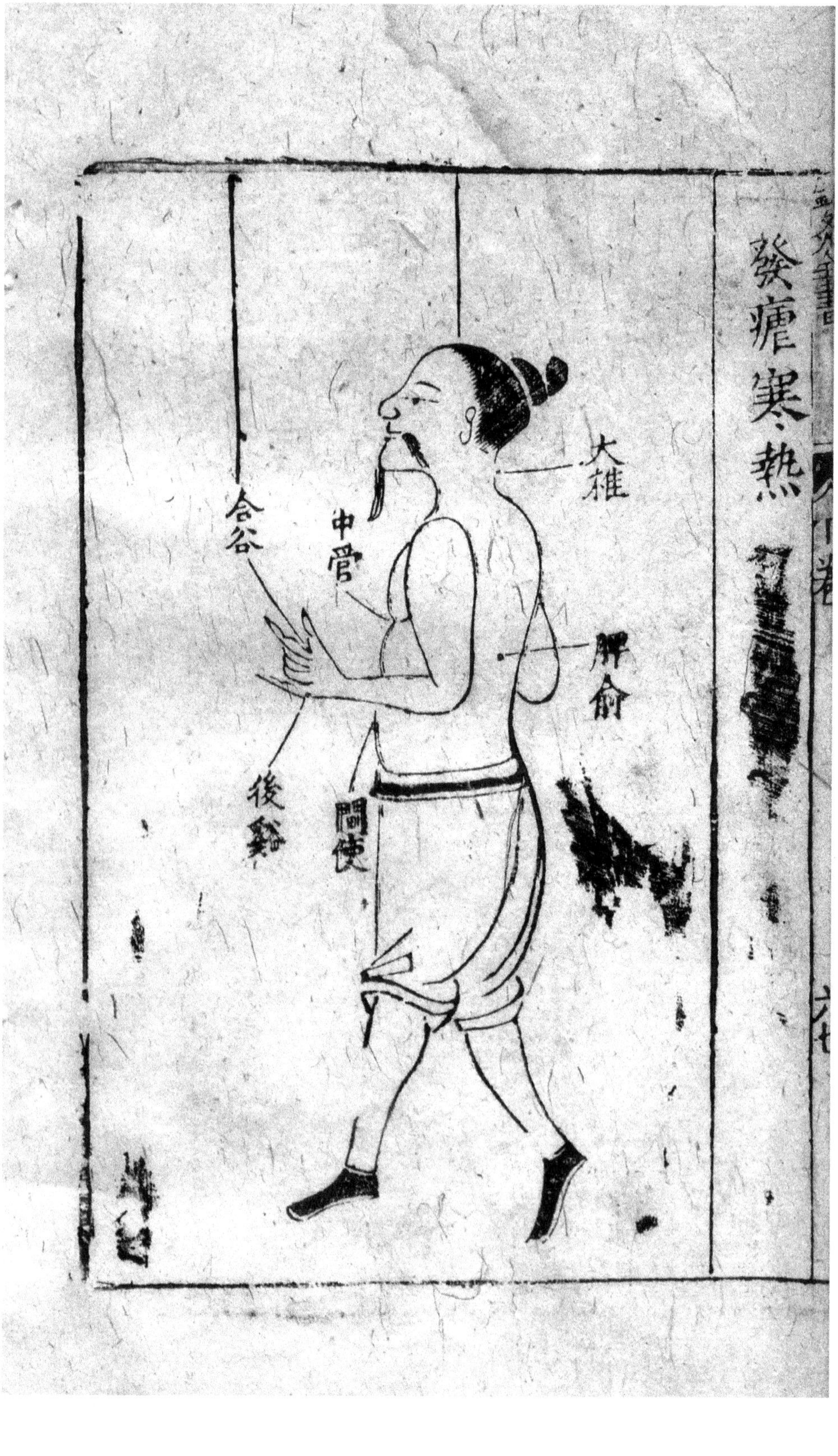
發瘧寒熱
大椎
合谷
中管
脾俞
後谿
間使

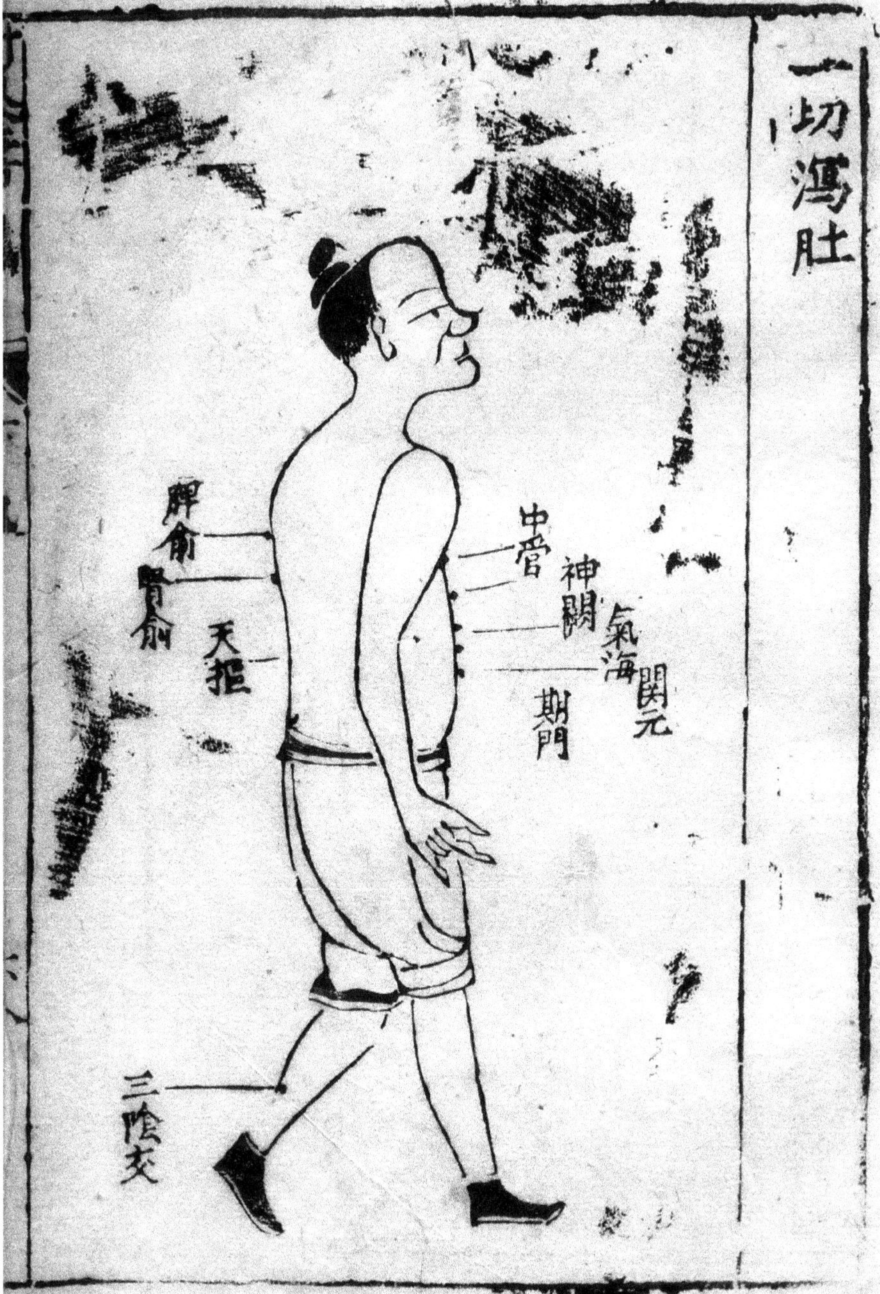
一切瀉肚
脾俞
腎俞
天樞
中脘
神闕
氣海
關元
期門
三陰交

嘔吐

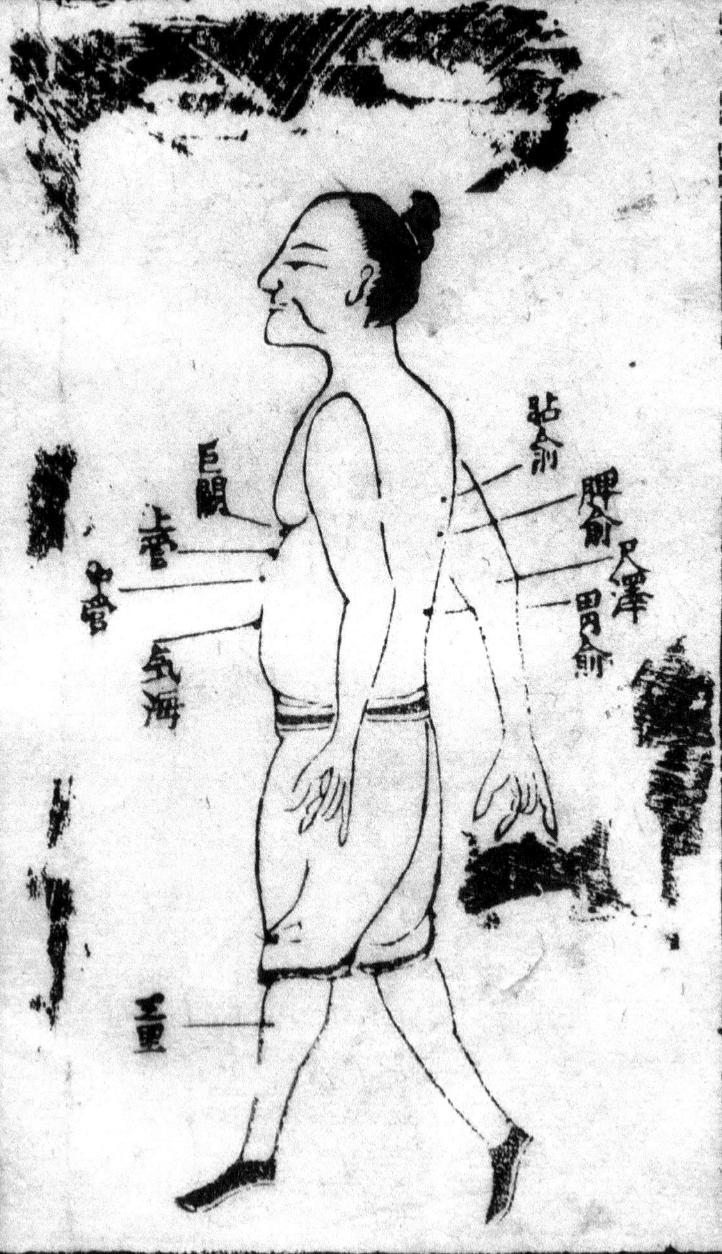

吐血衄血

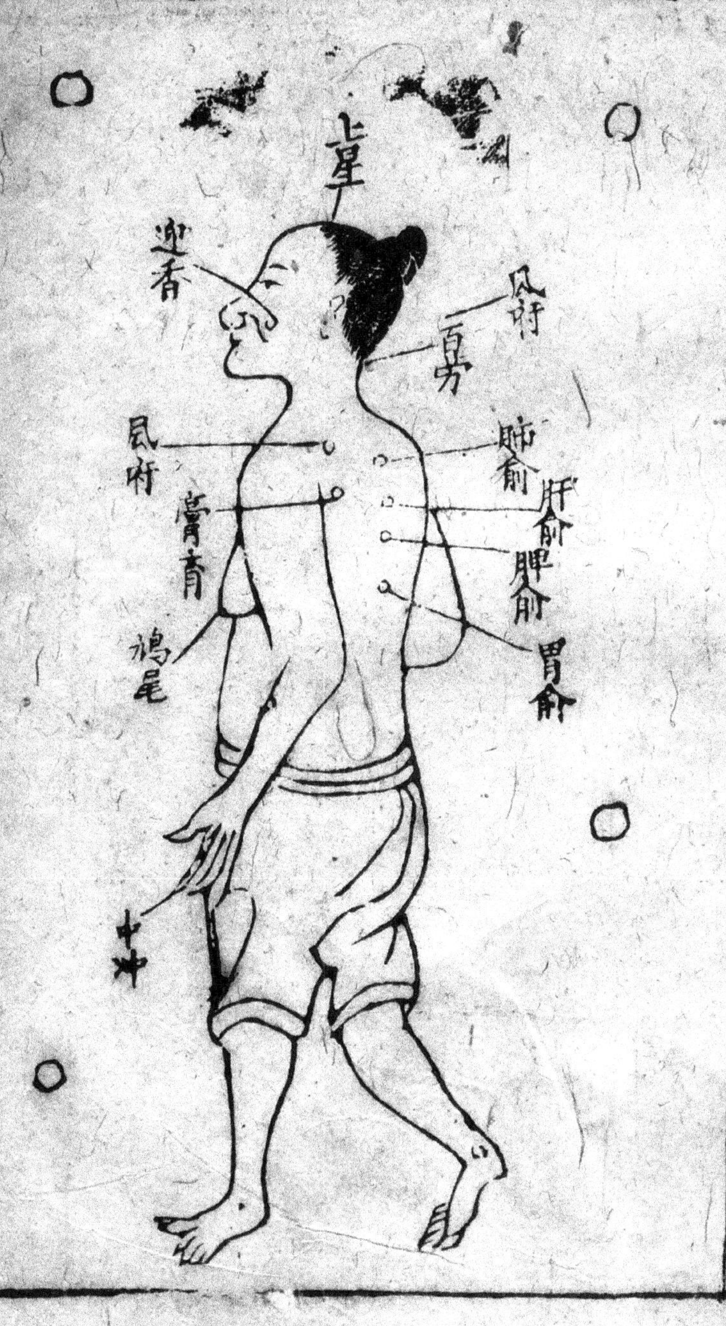

翻胃吐食

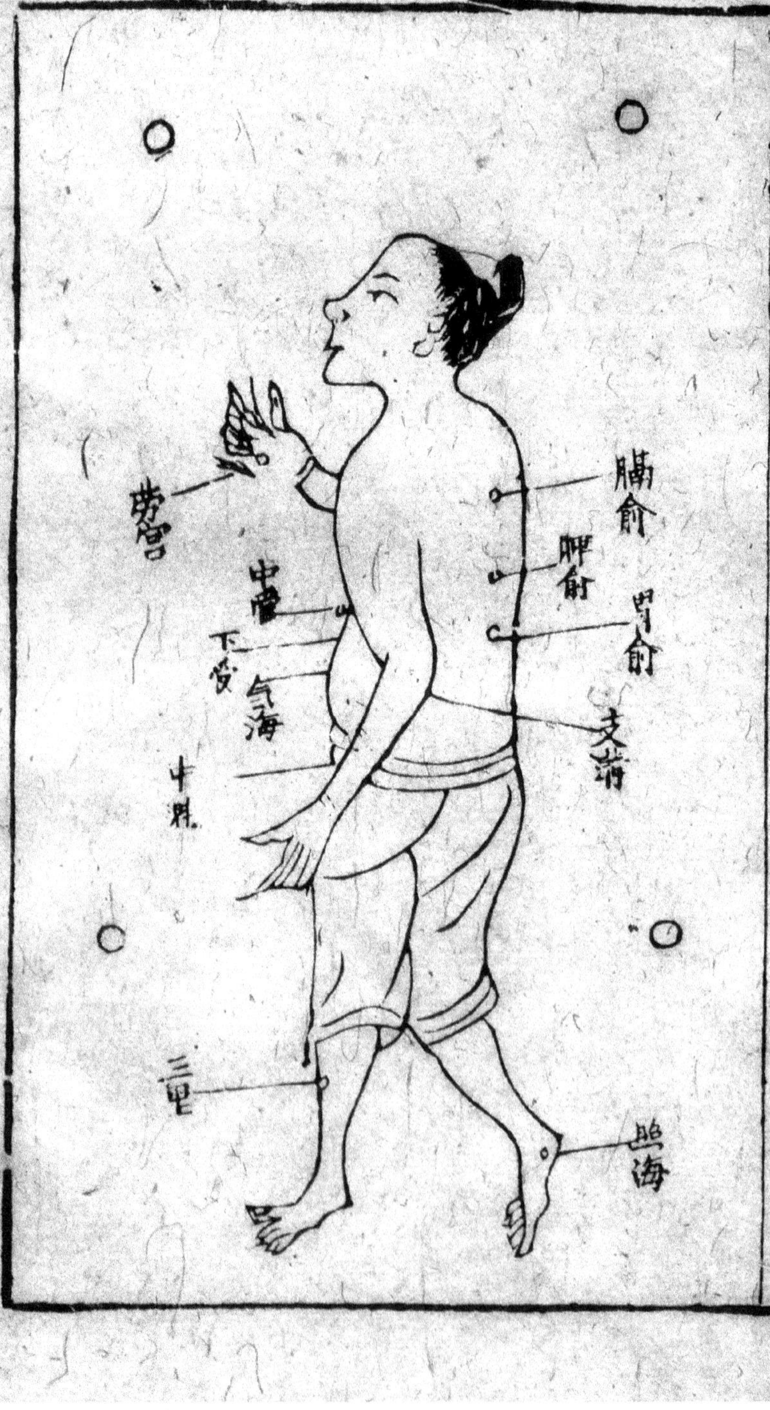

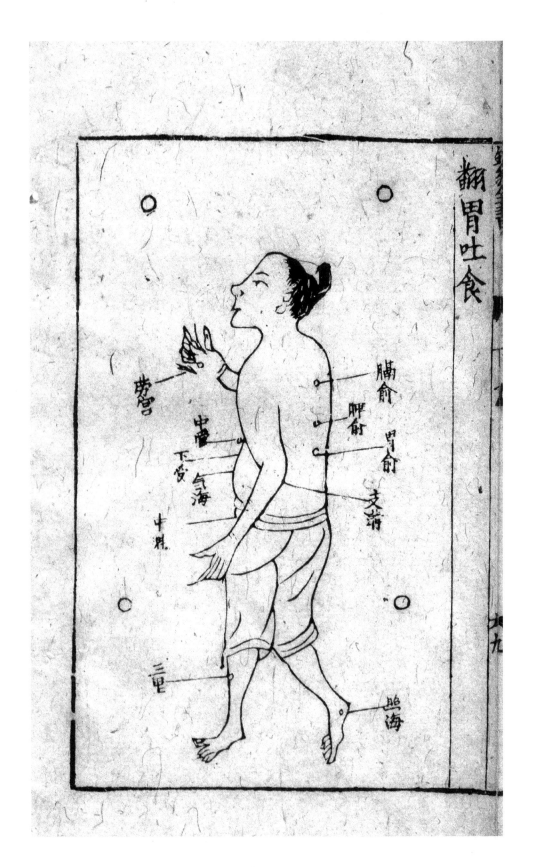

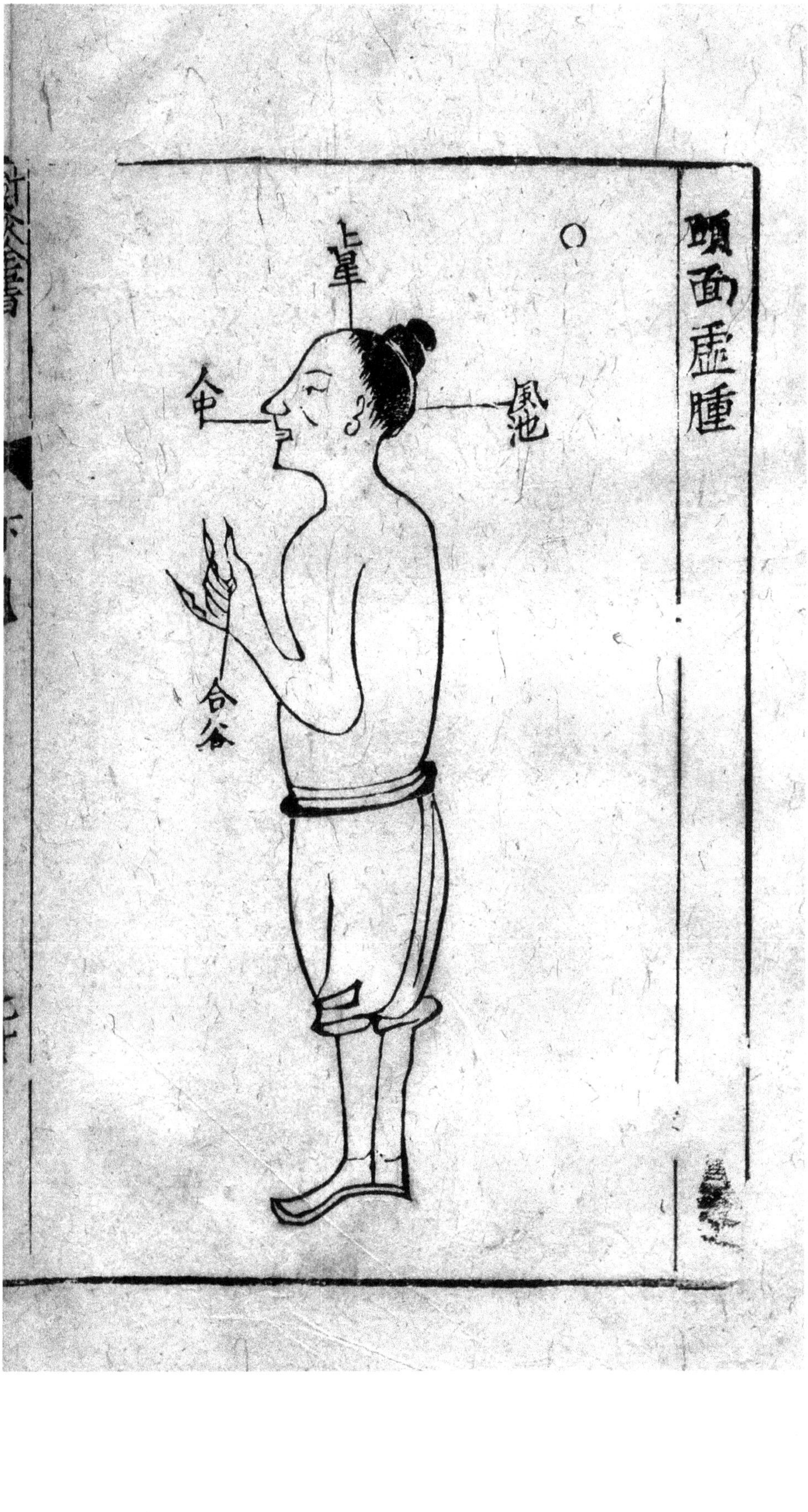
頭面虛腫
上星
人中
風池
合谷

水腫

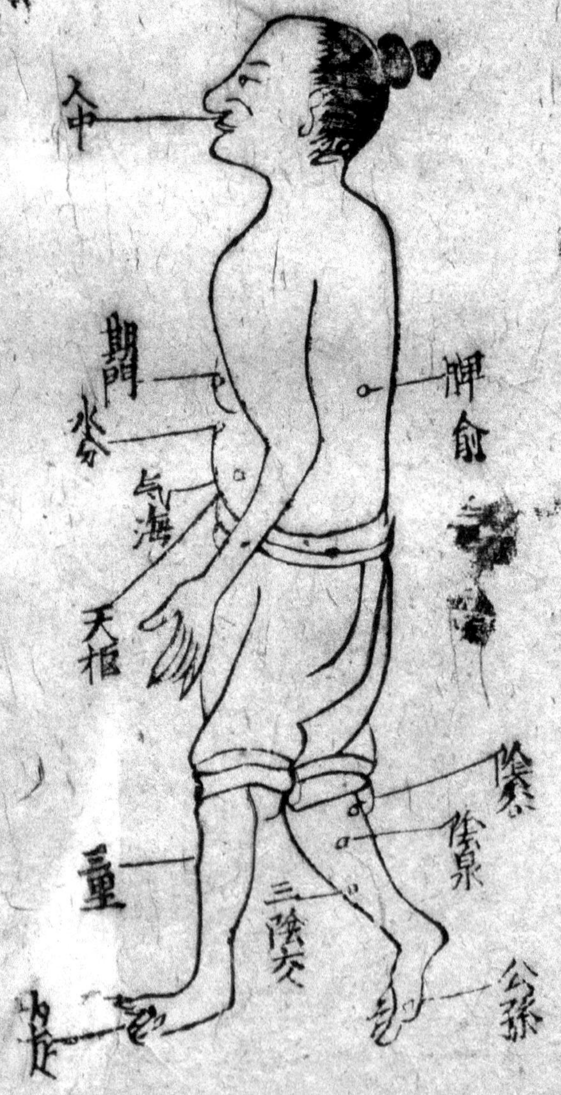

四肢浮腫

小腹脹滿

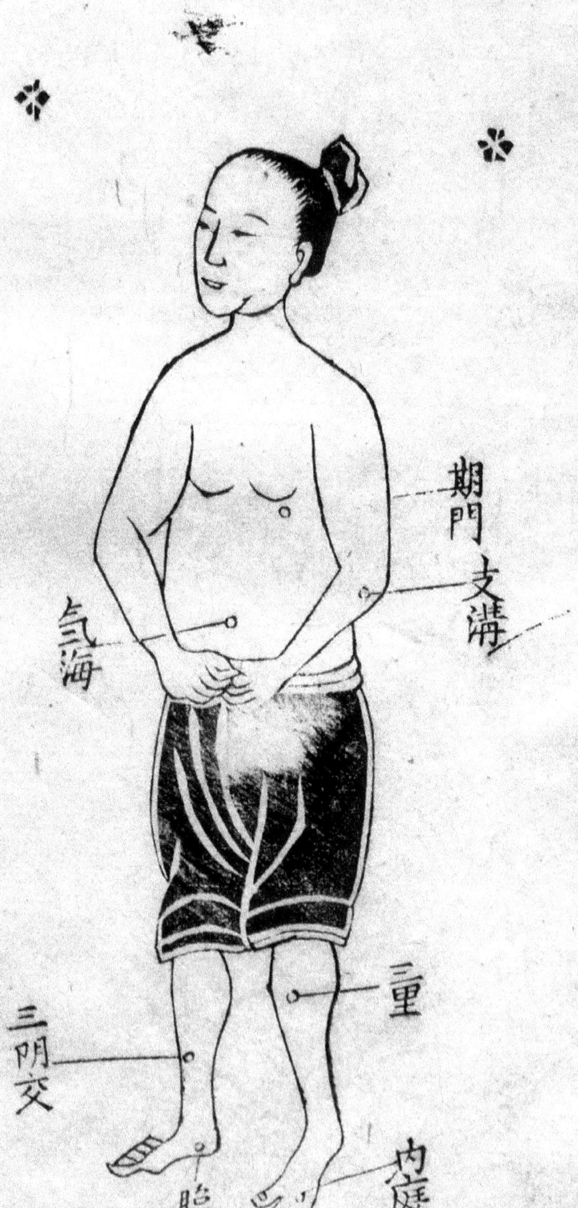

大小便結滞而脹非気滿也宜下之

蠱脹

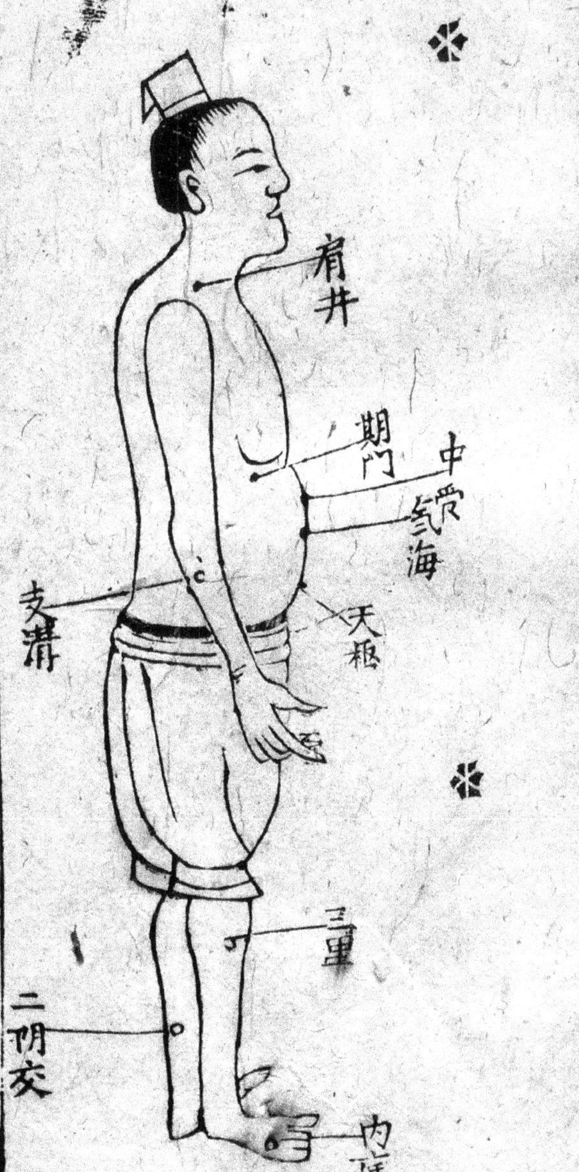

癎証

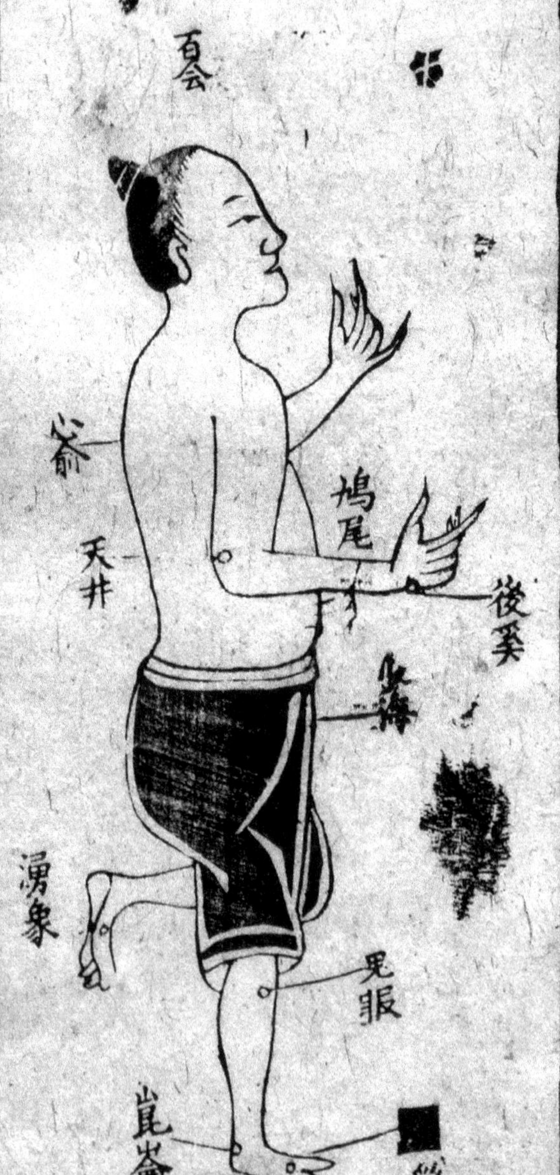

牙哑之声

鼻府

哑門

通里

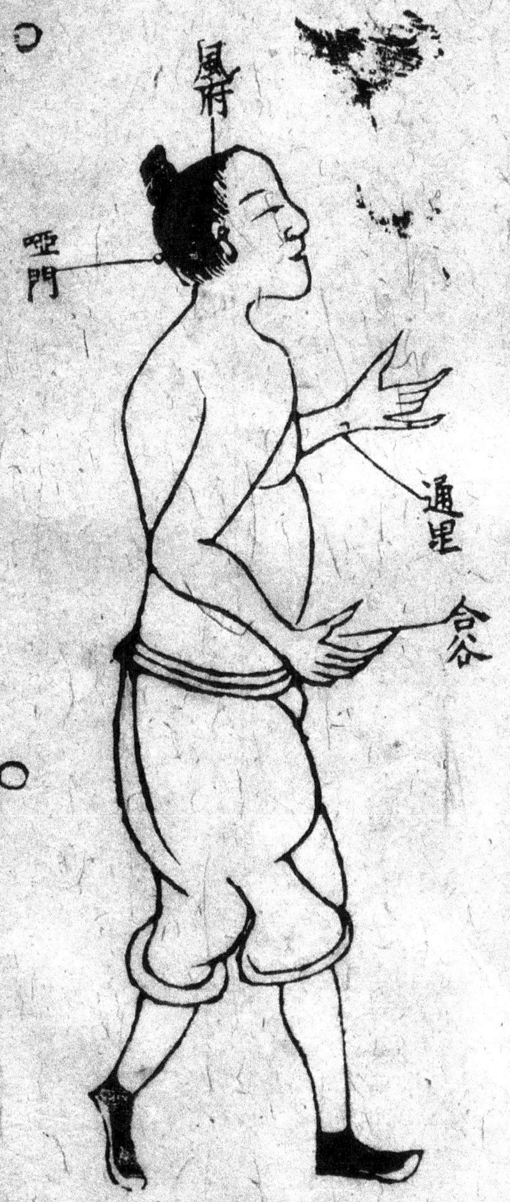

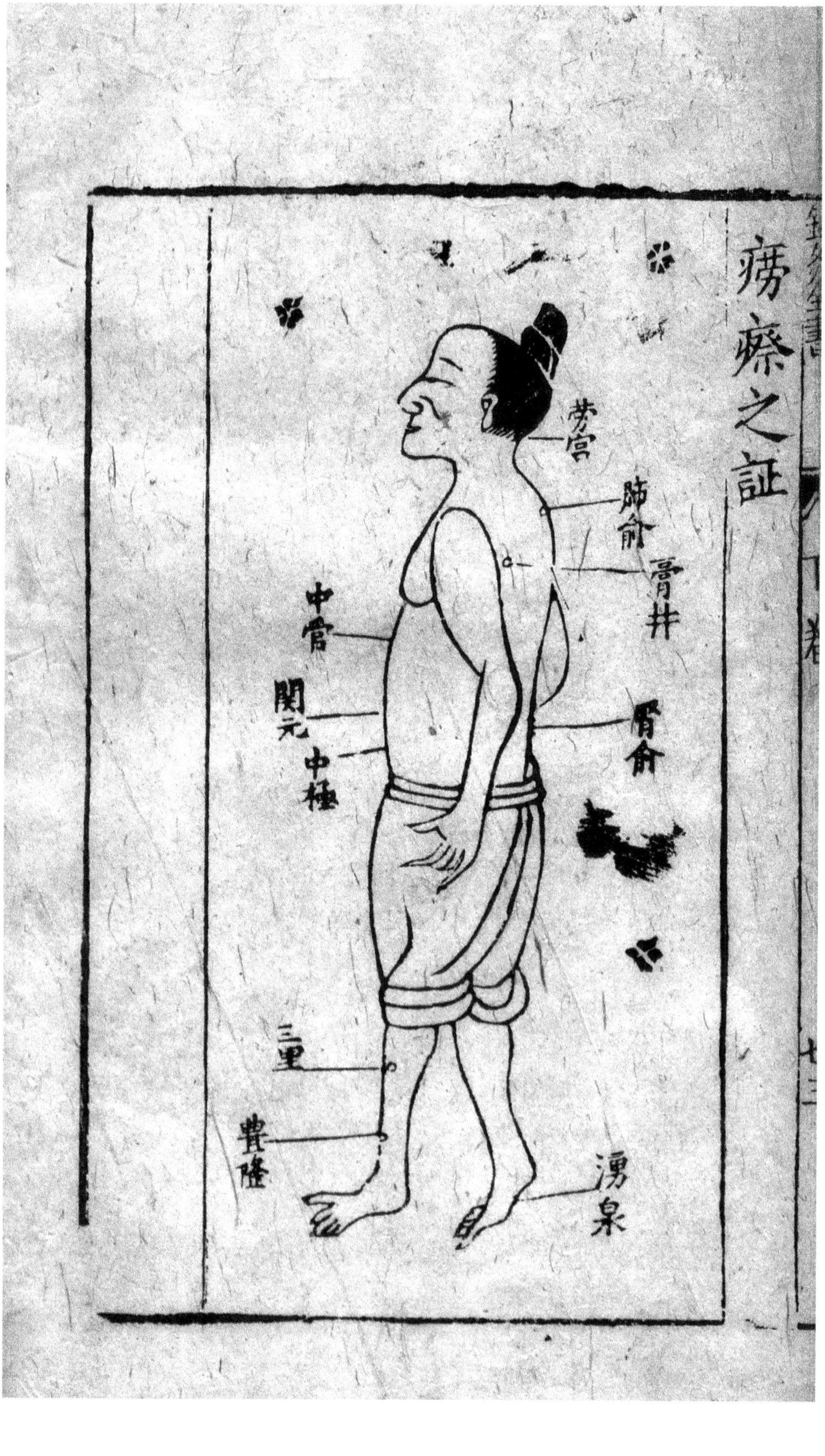
癆瘵之證
勞宮
肺俞
膏井
中管
關元
中極
腎俞
三里
豐隆
湧泉

頭風痛及身躰痛

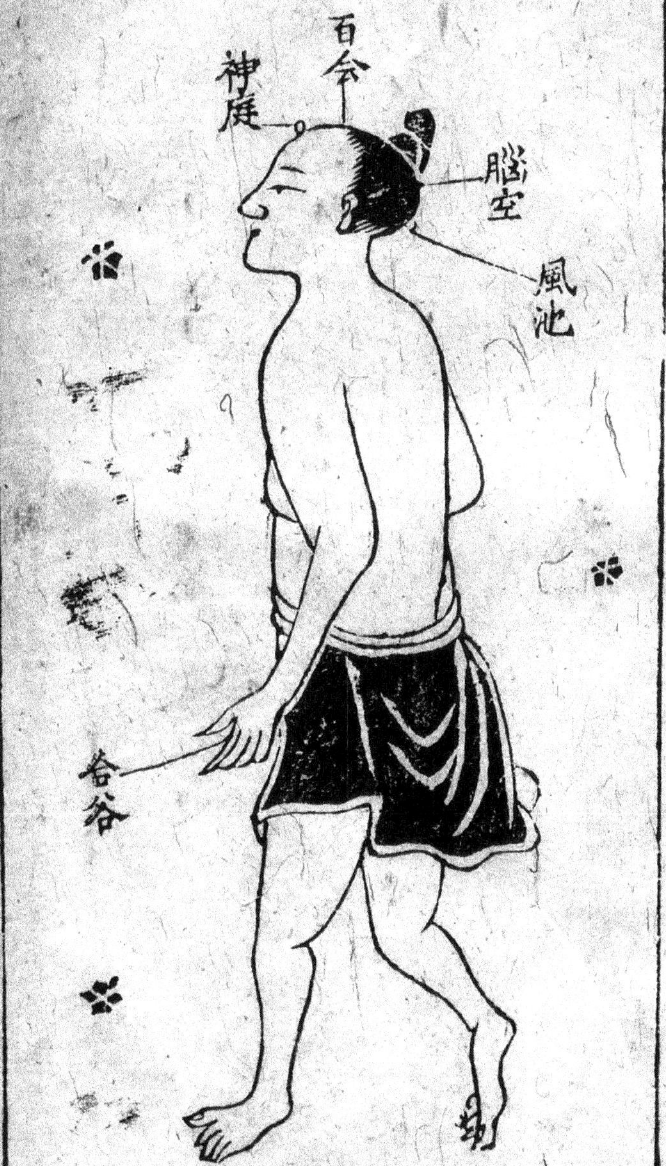

腎厥頭痛

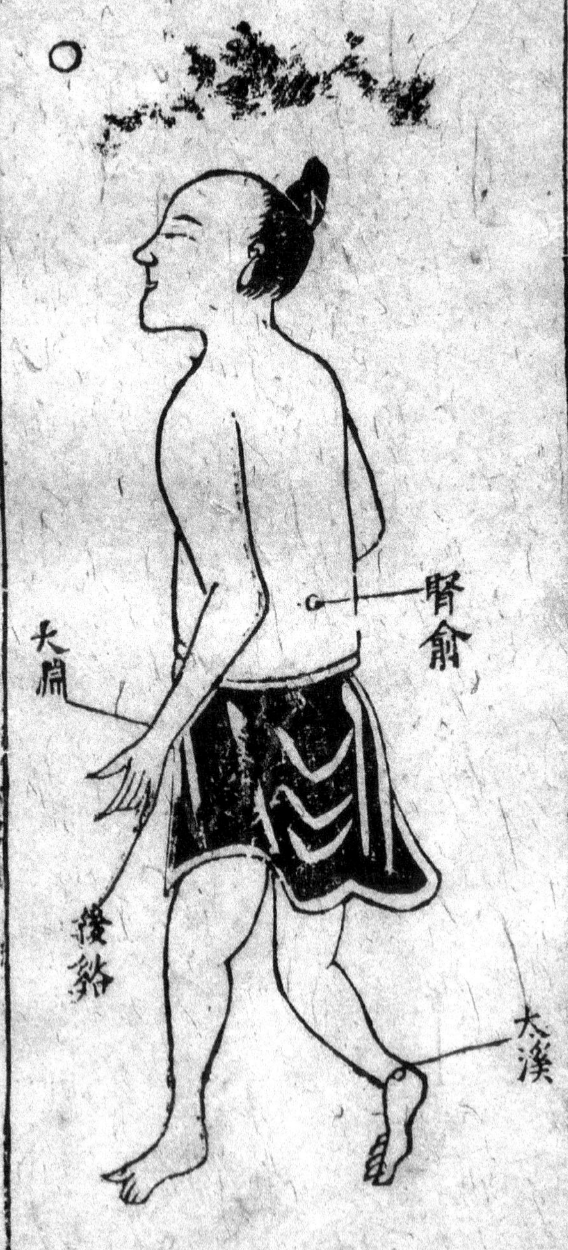

頭眩眼目生花

赤眼腫痛

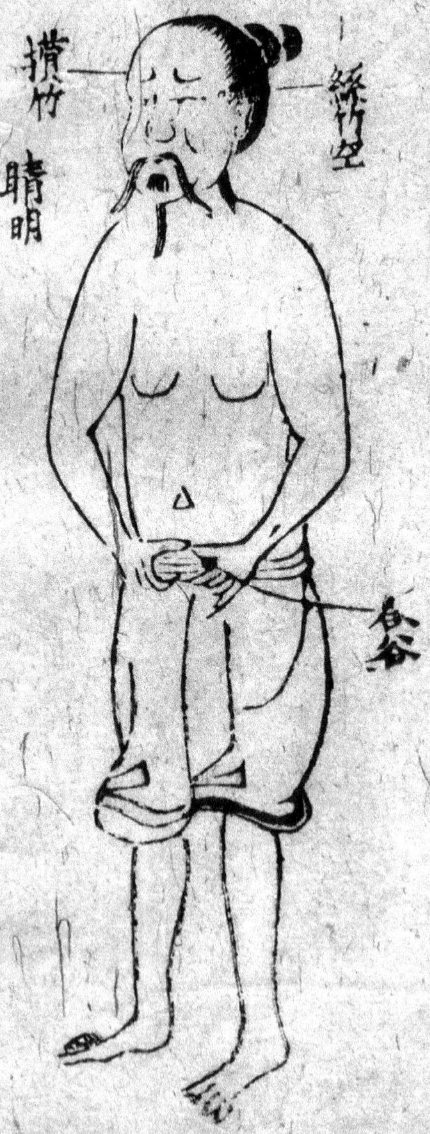

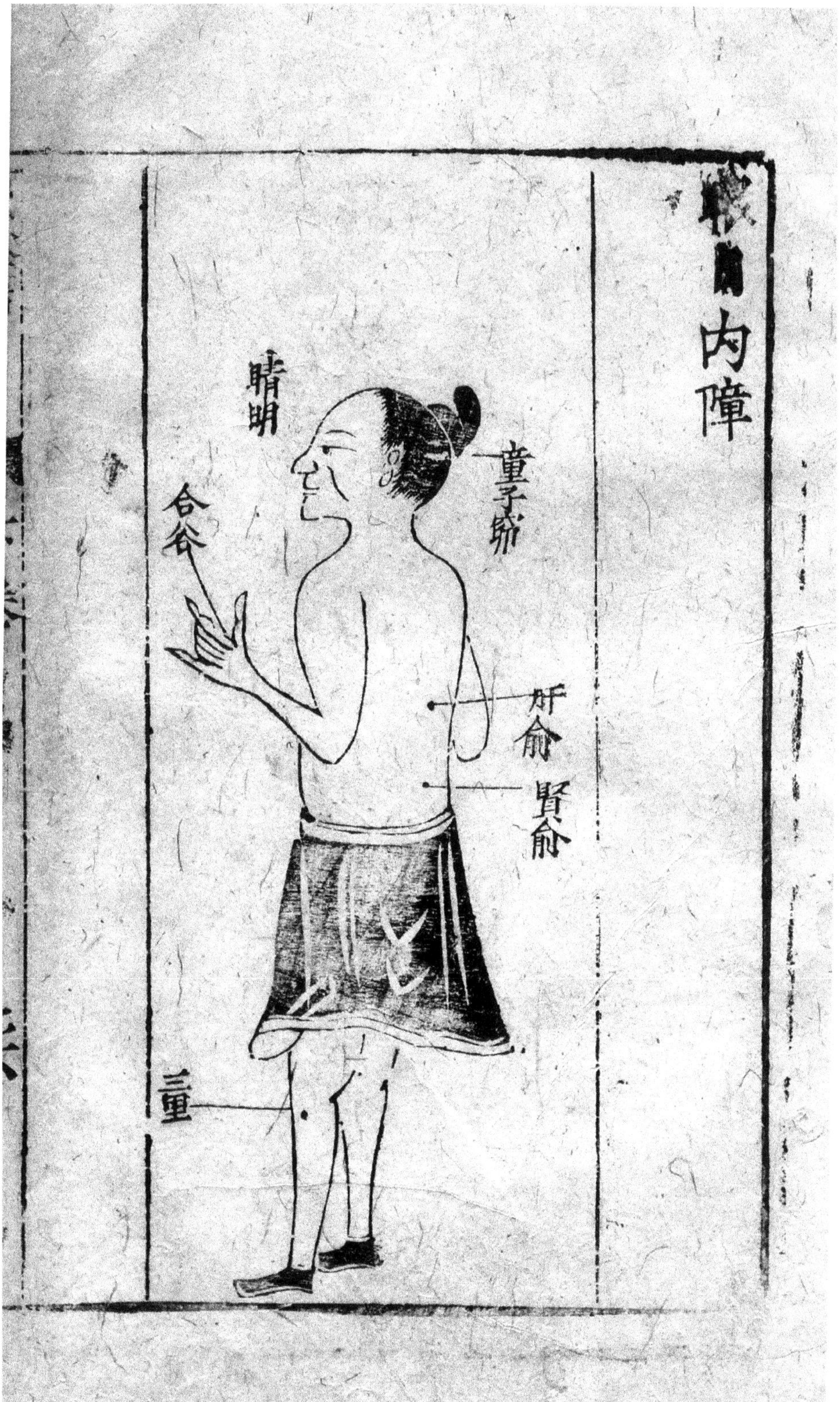
內障
睛明
合谷
童子窌
肝俞
賢俞
三里

眼目昏花視物不明

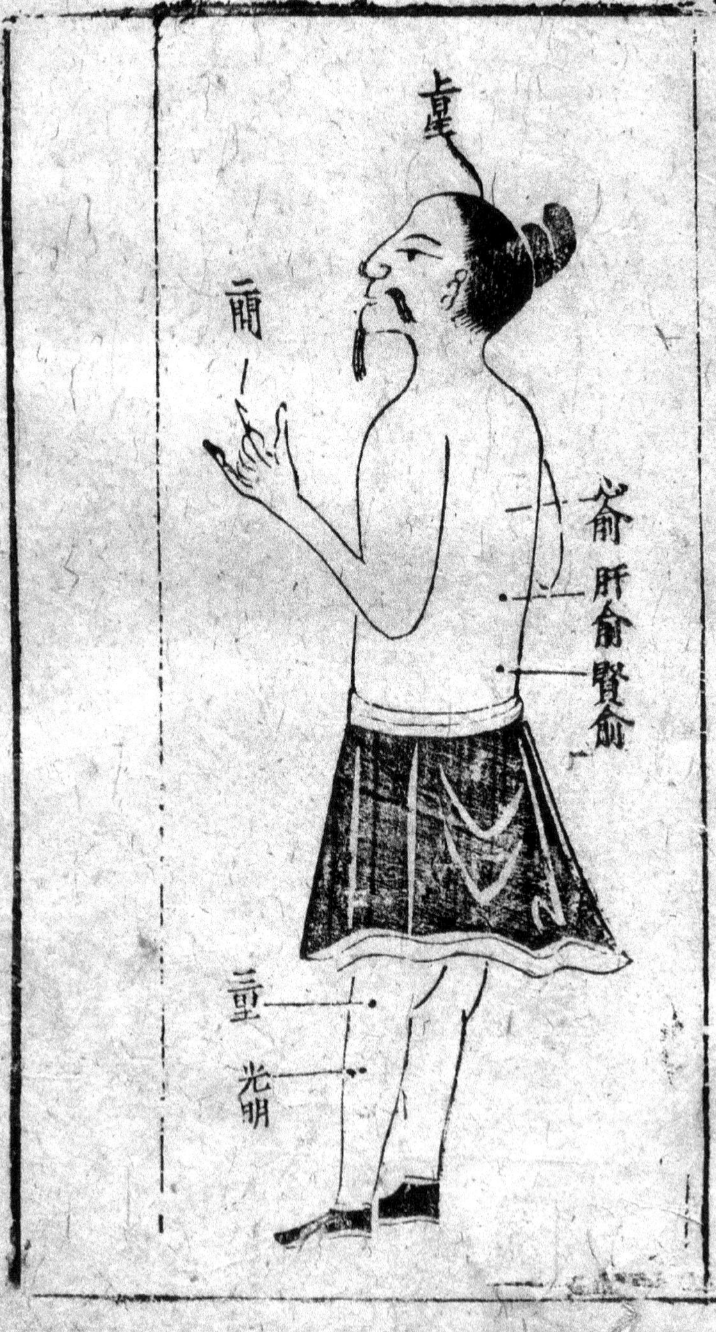

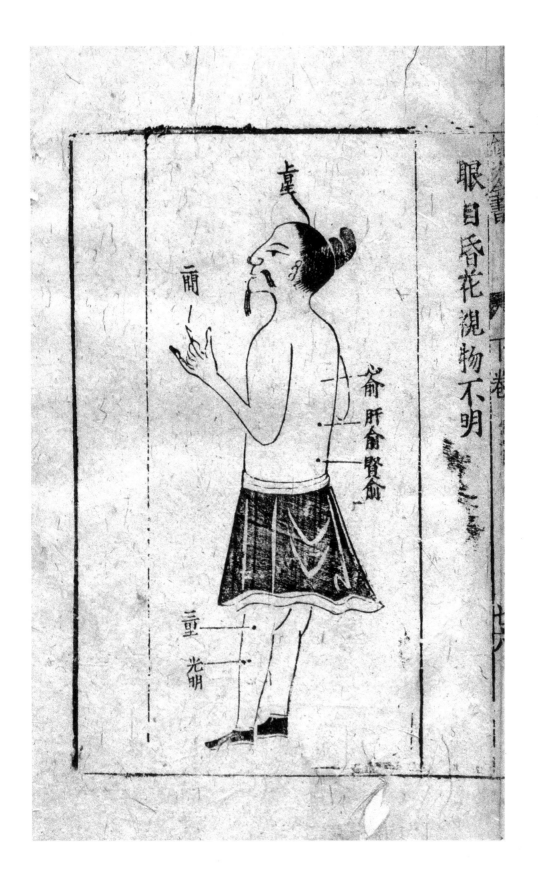

努肉扳睛

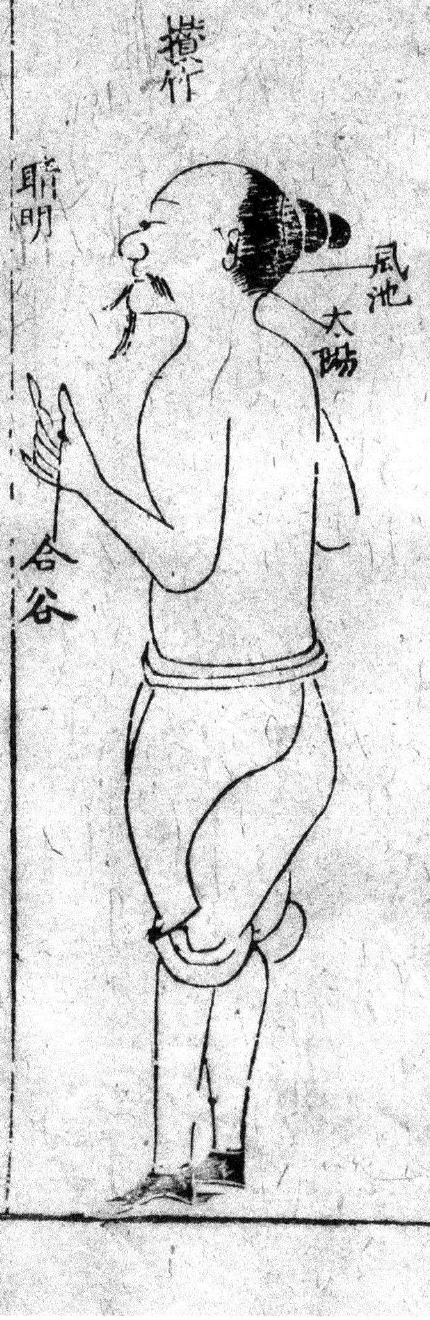

鼻窒不聞香臭

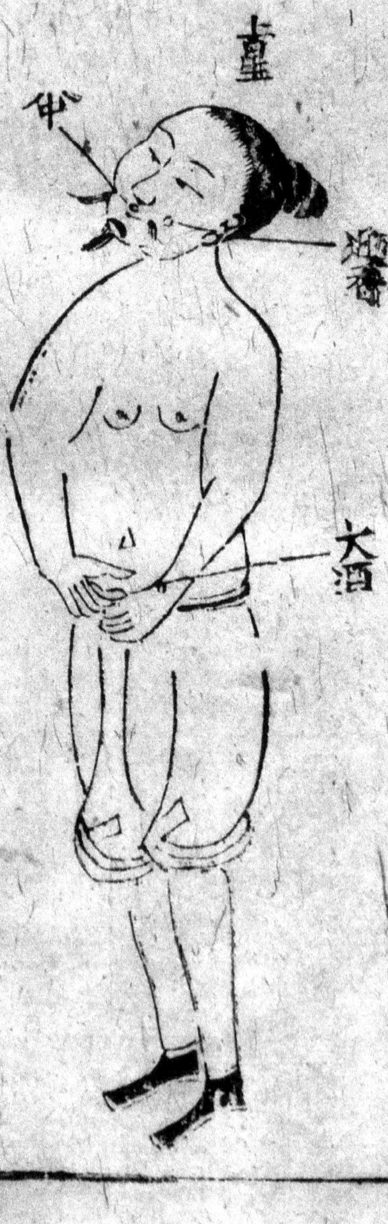

腦寒鼻出臭

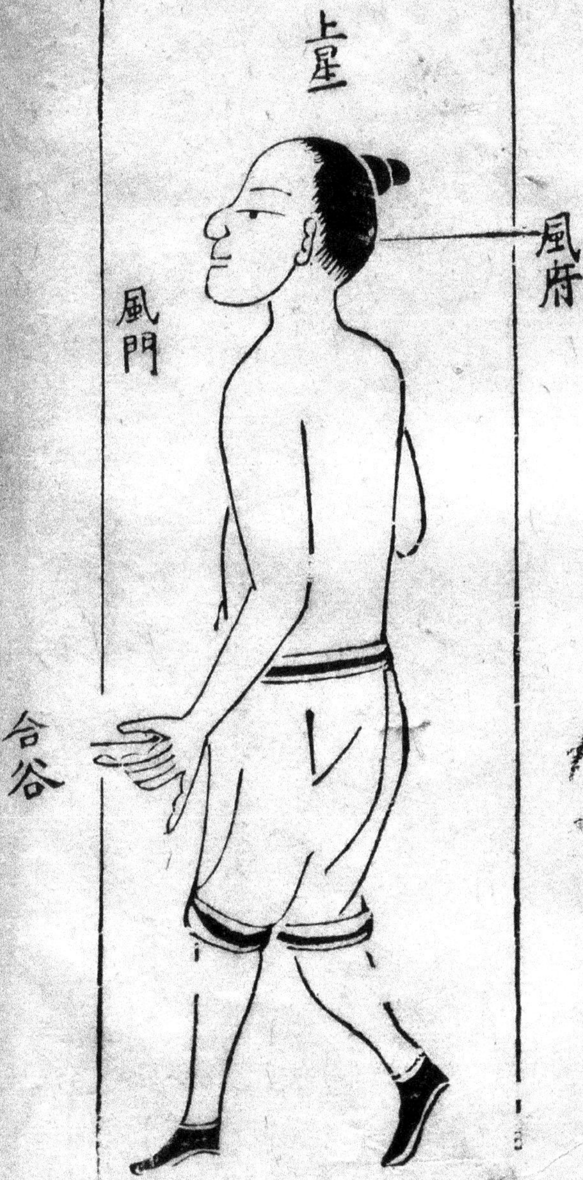

两耳虛鳴

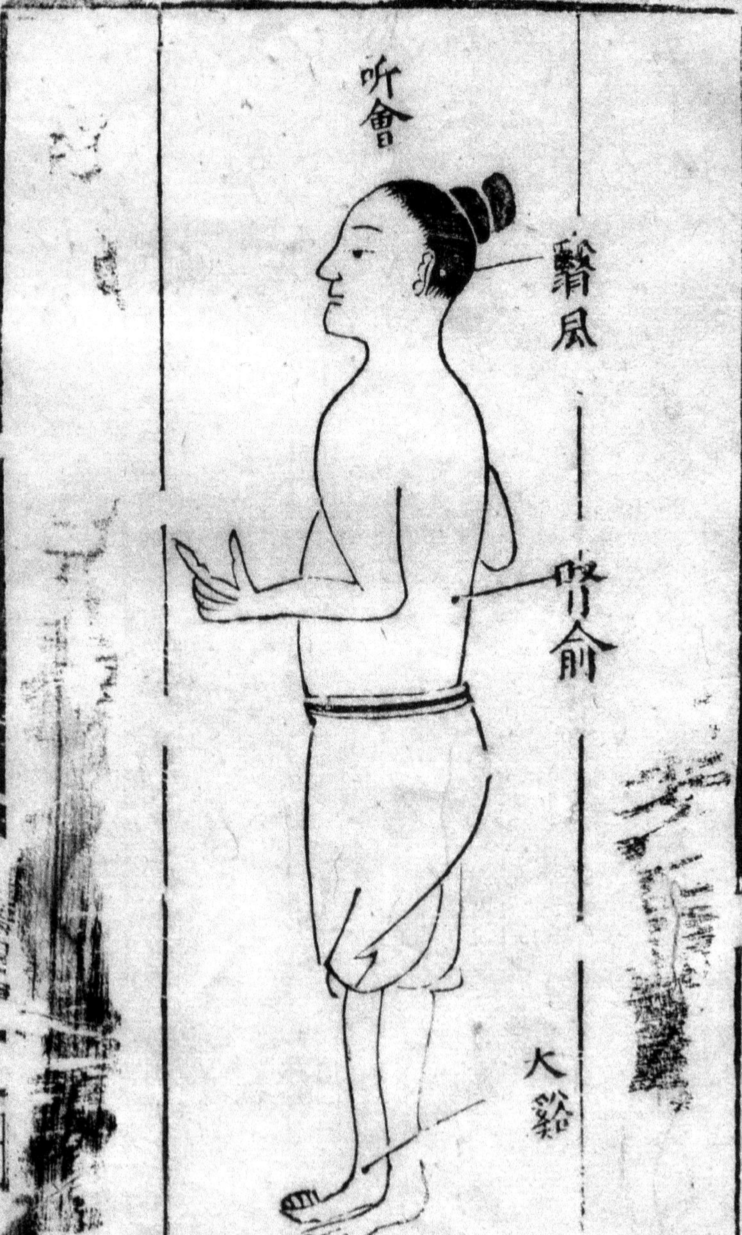

耳聾閉氣

耳紅痛腫

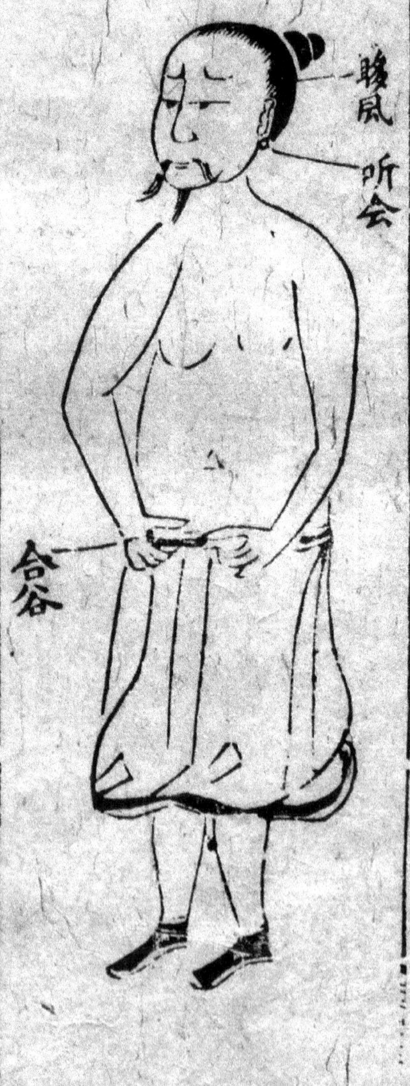

咽喉腫痛

手背紅腫

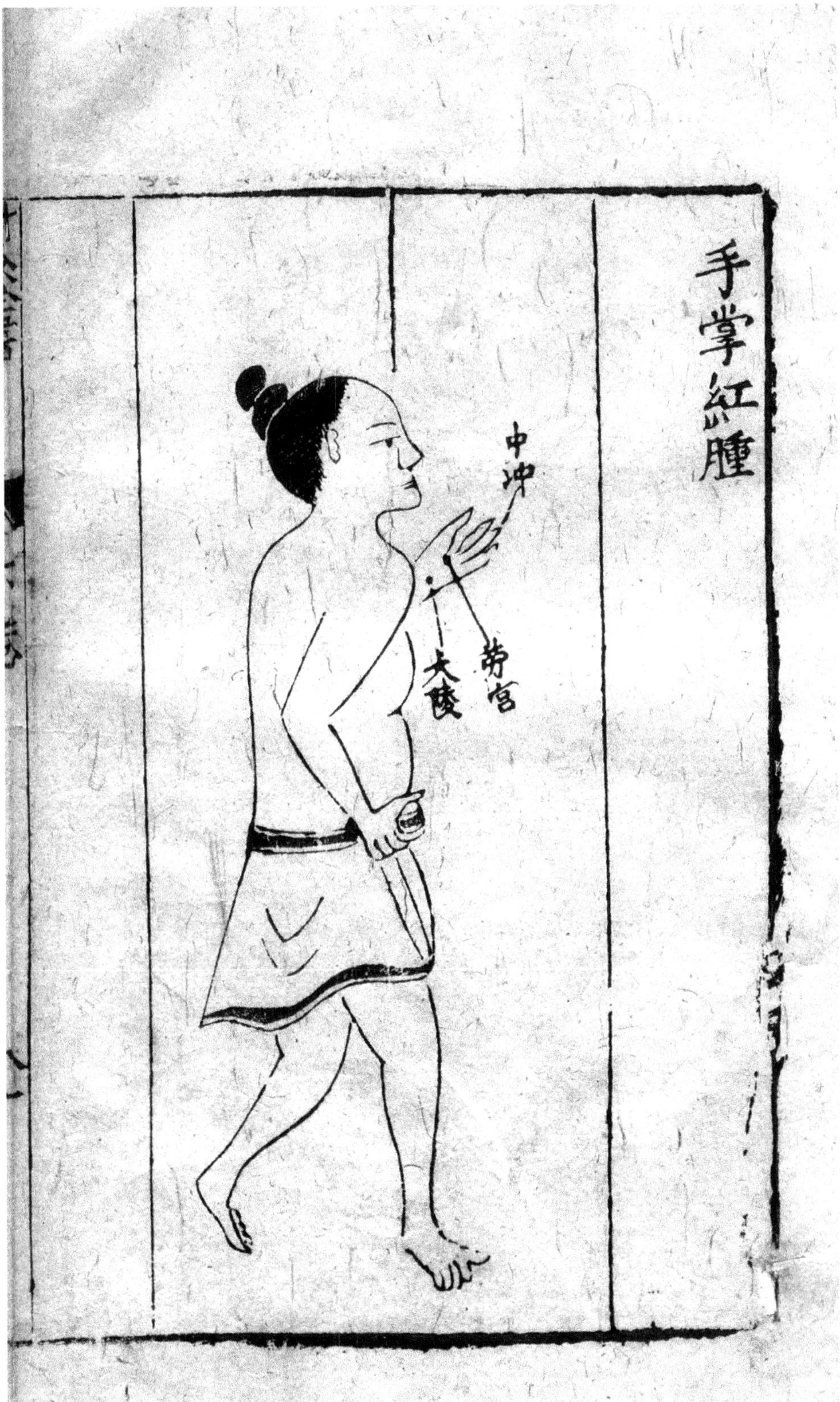
手掌紅腫
中冲
勞宫
大陵

手臂冷風痛

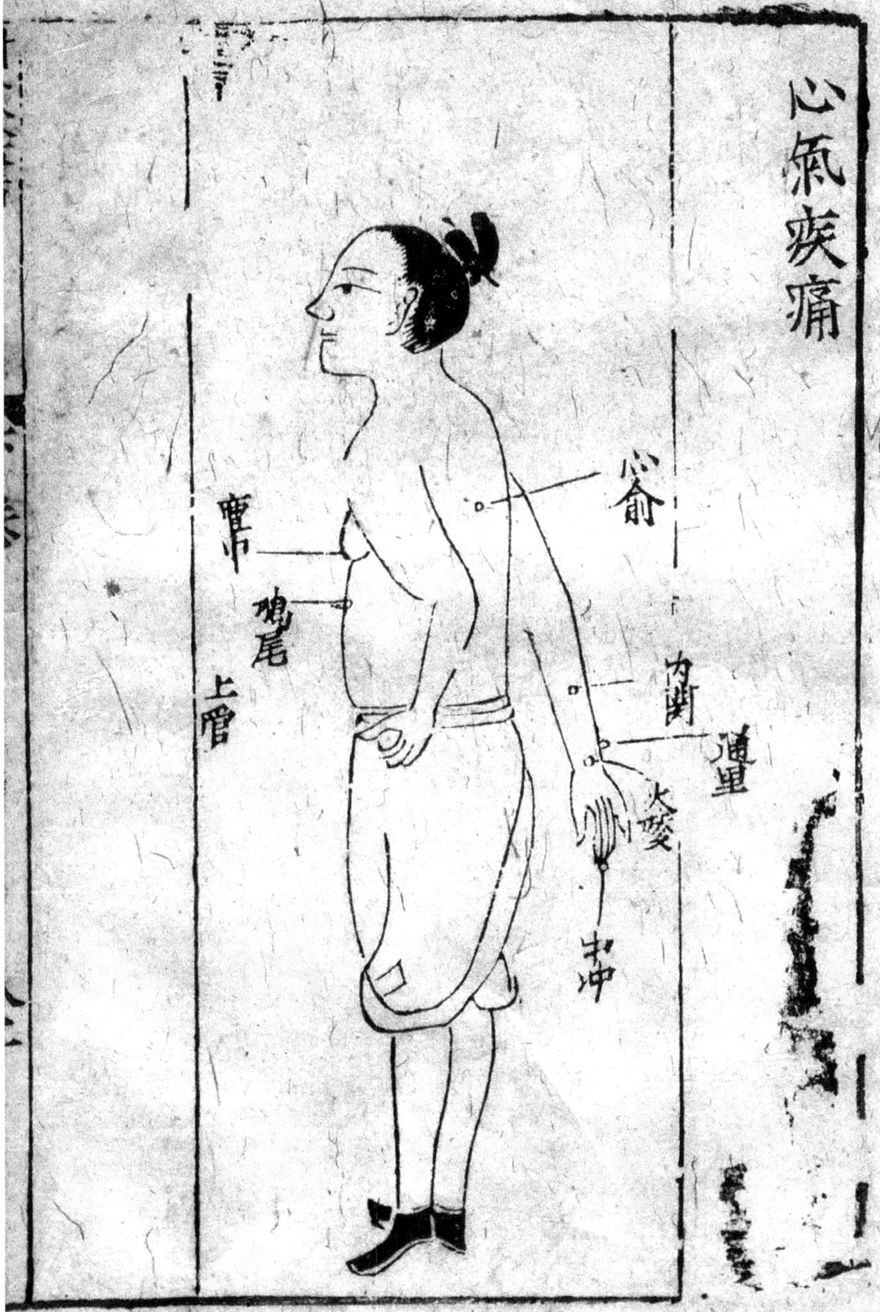
心氣疼痛
心俞
膻中
鳩尾
上管
內關
通里
大陵
中冲

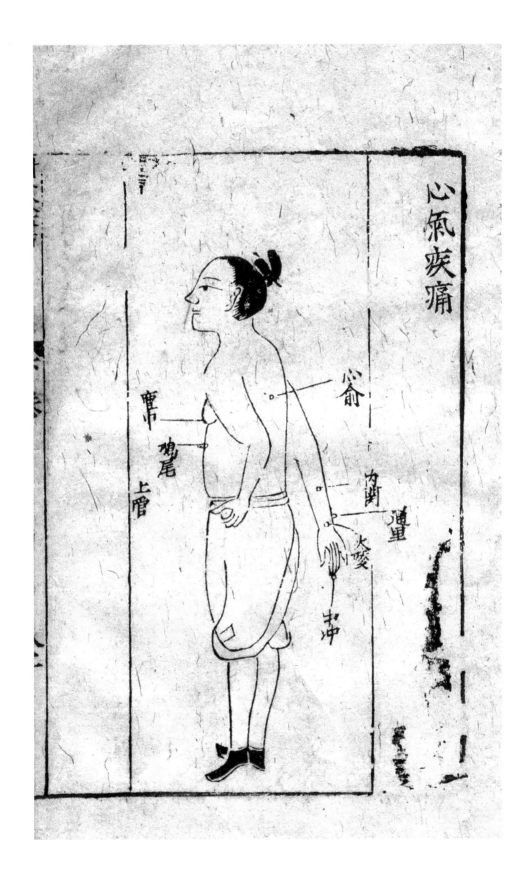

胸膈疼痛

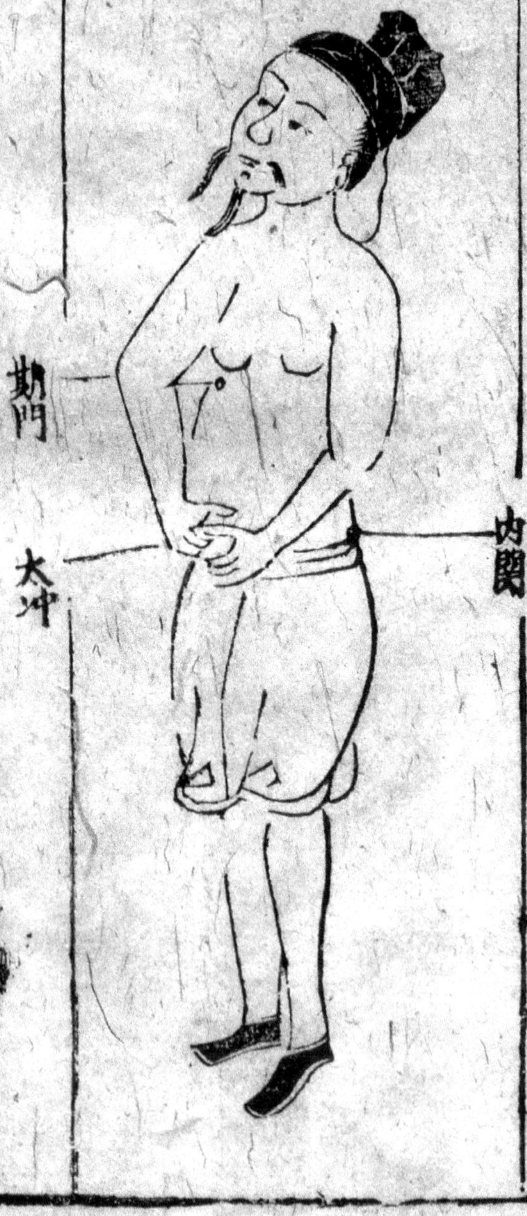

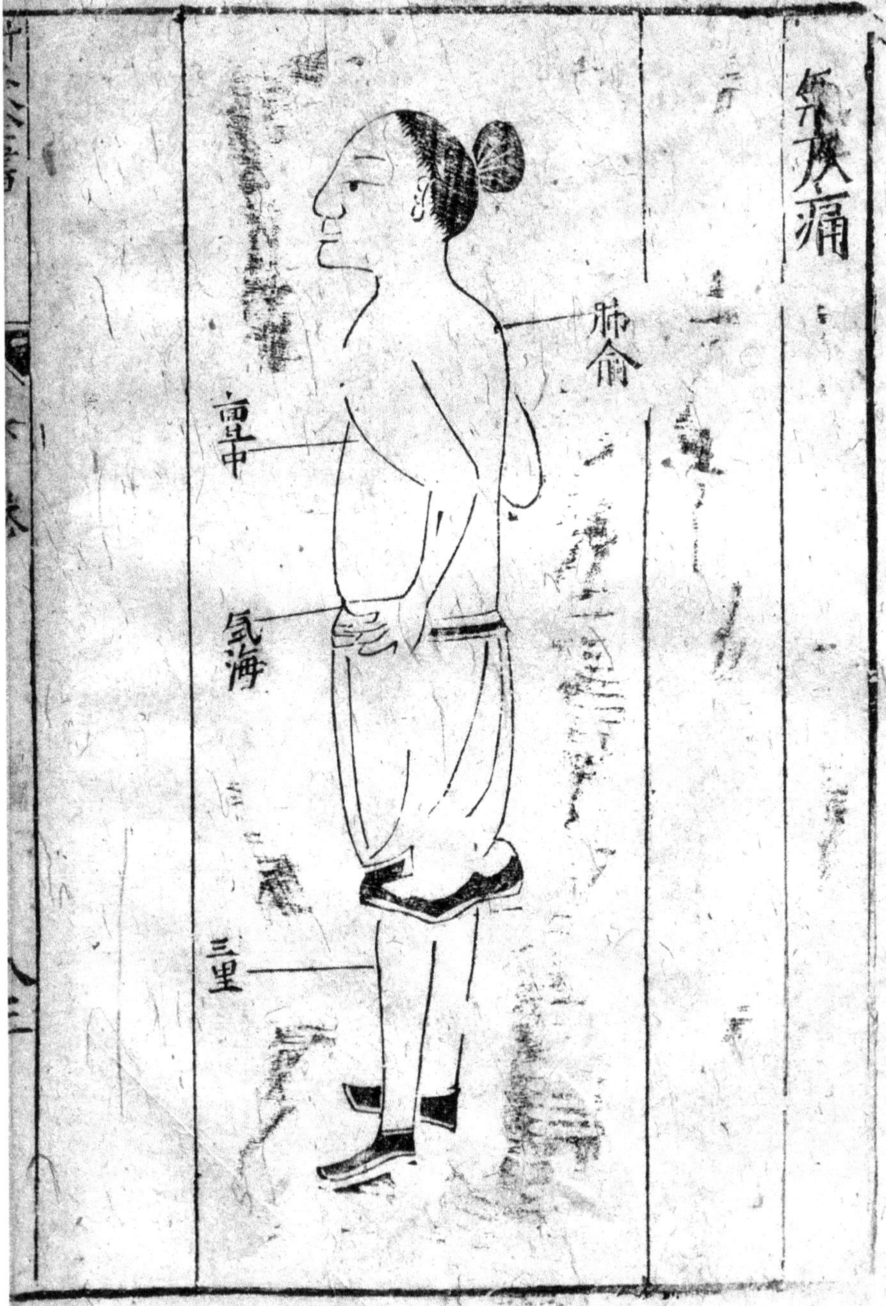
氣攻痛
肺俞
亶中
氣海
三里

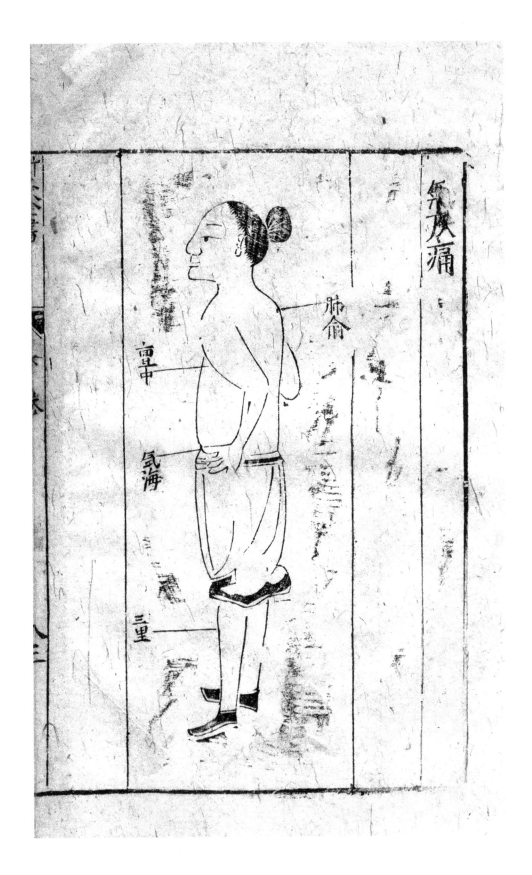

氣喘急哮咳嗽

冷氣咳嗽久不愈

腸風臟毒

臍肛腫痛

小便不利

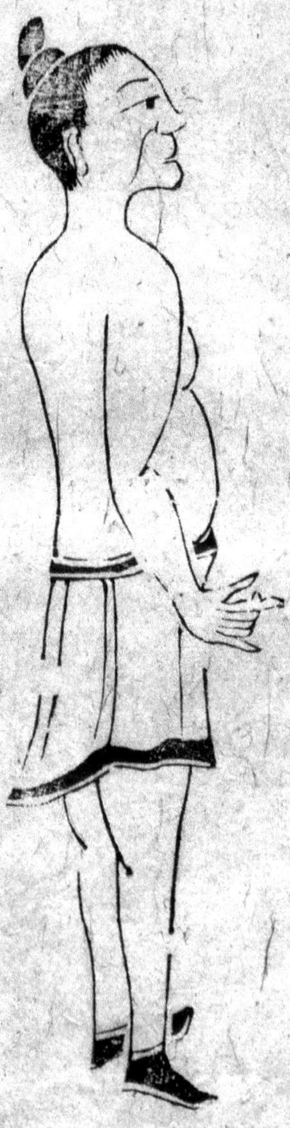

草鞋風脚挛風

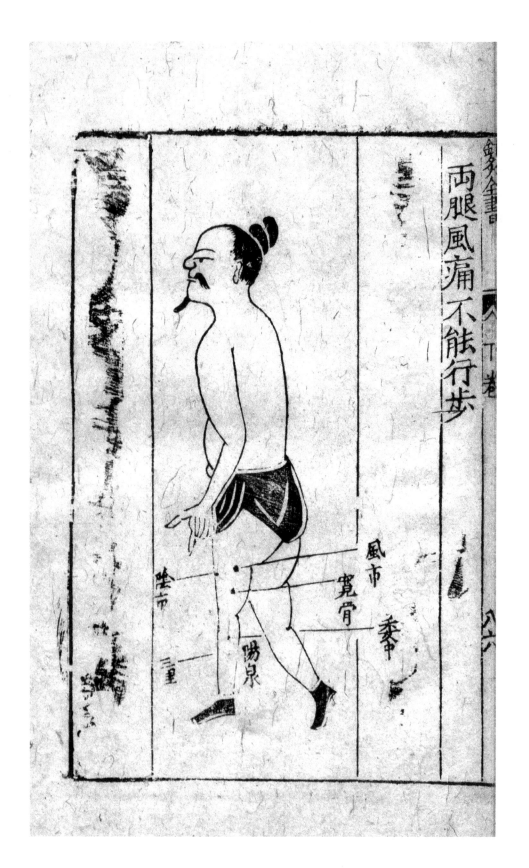

兩腿風痛不能行步

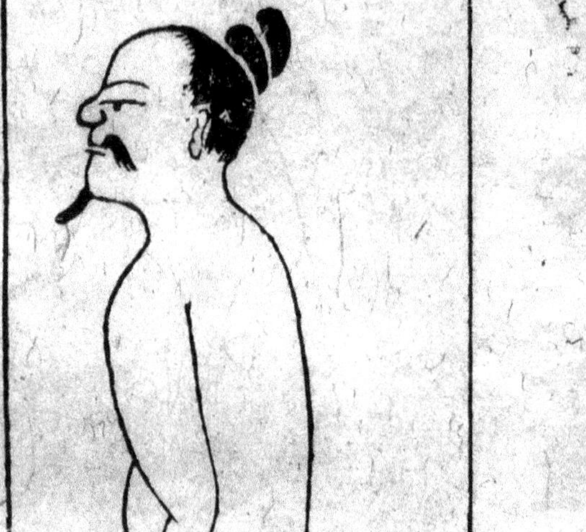

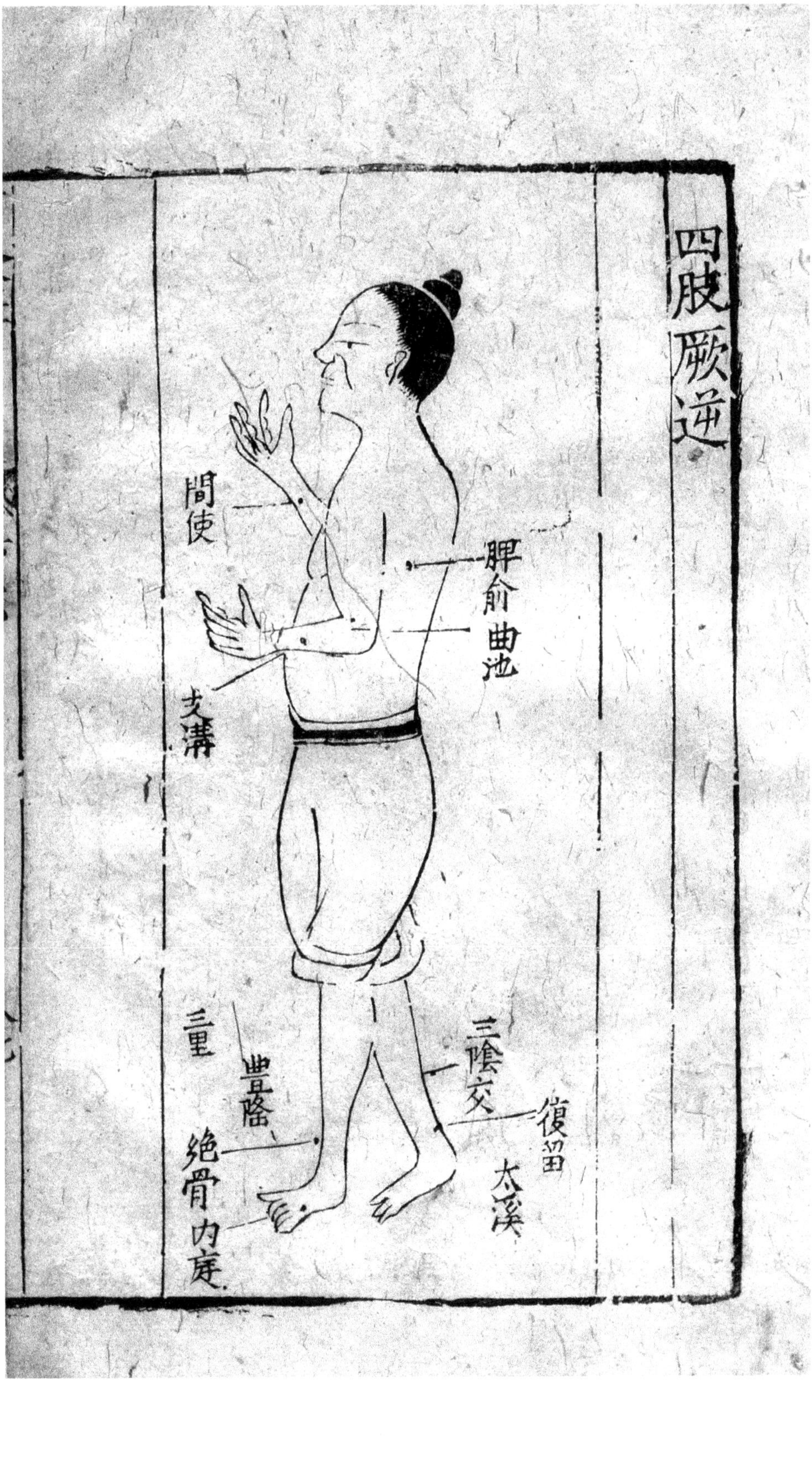
四肢厥逆
間使
脾俞
曲池
支溝
三里
豐隆
三陰交
復留
絶骨
太溪
内庭

發背癰疽

酒查鼻赤

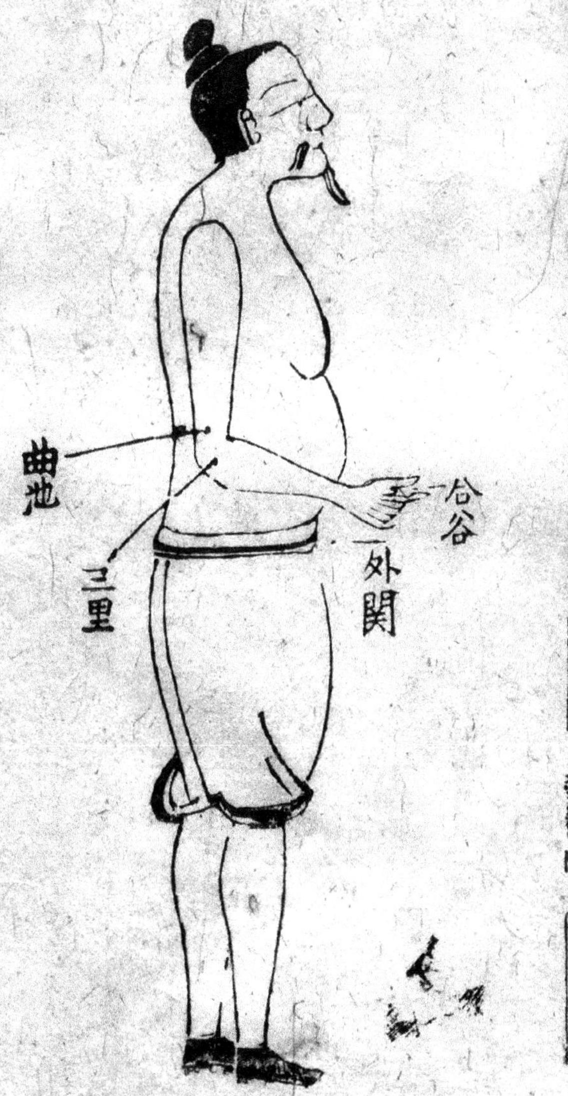

喉風

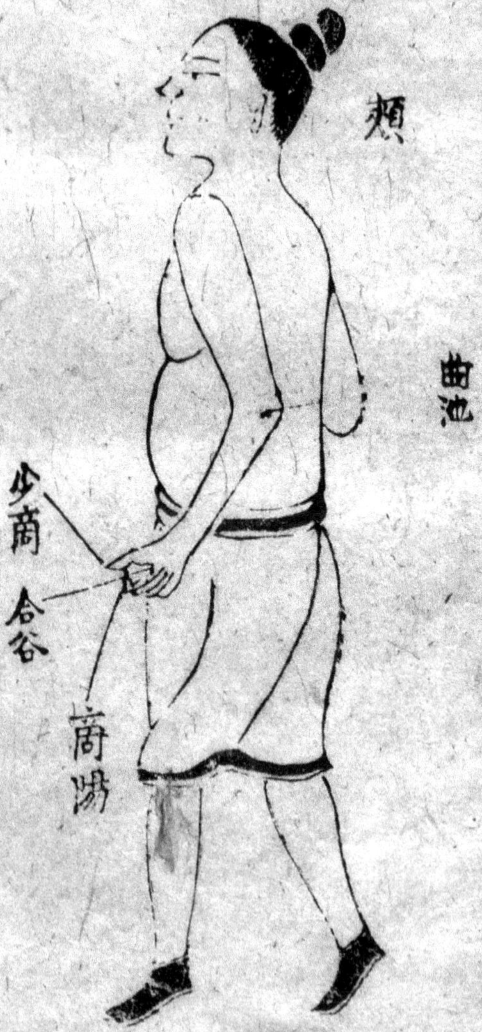

黃腫

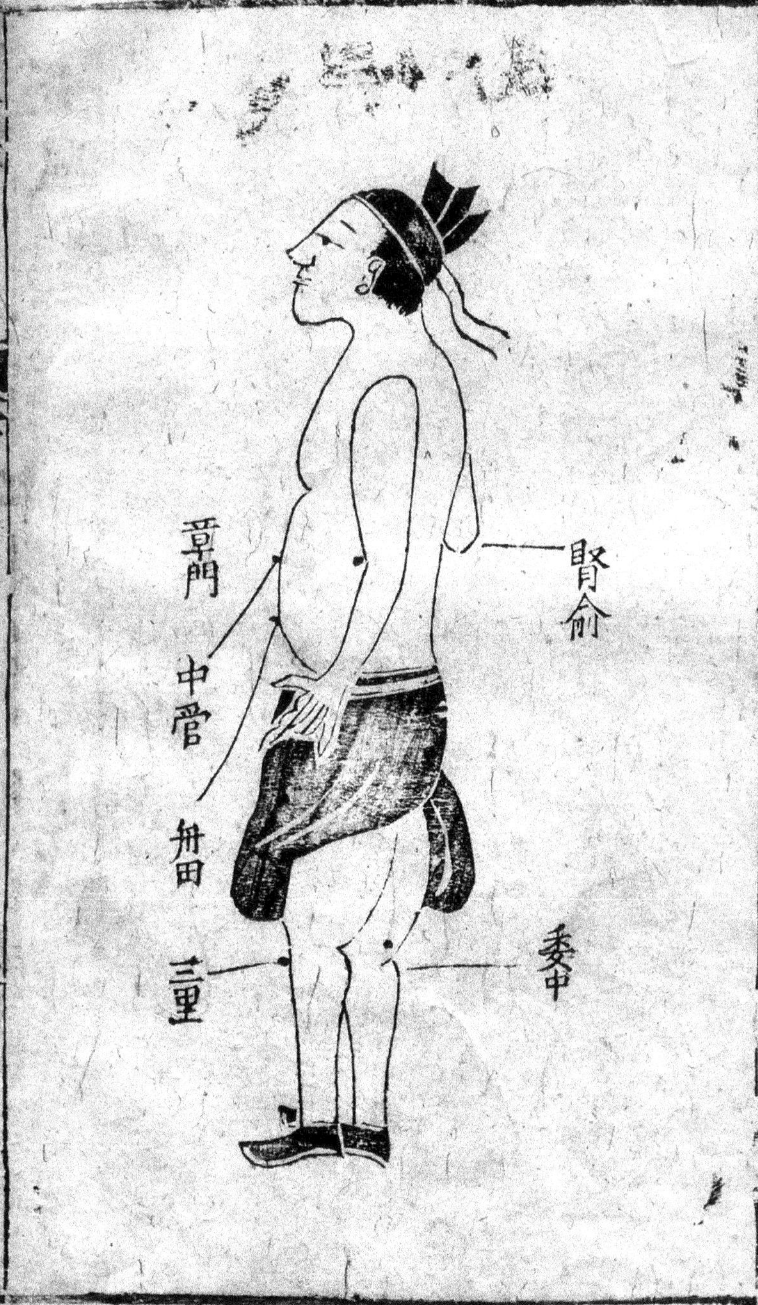

脚膝鼓槌風

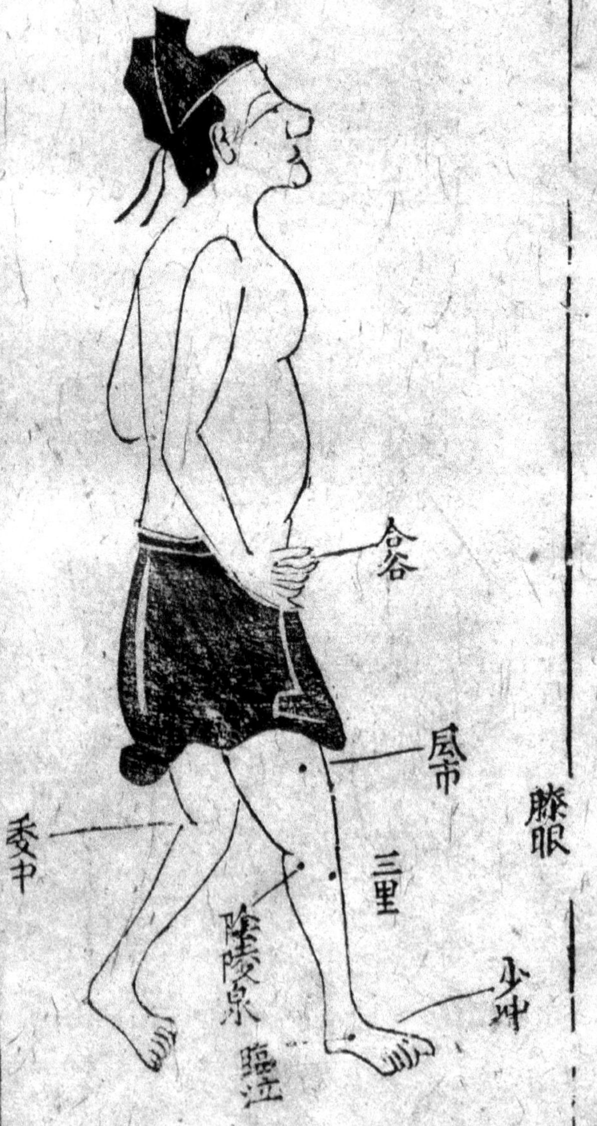

霍亂吐瀉

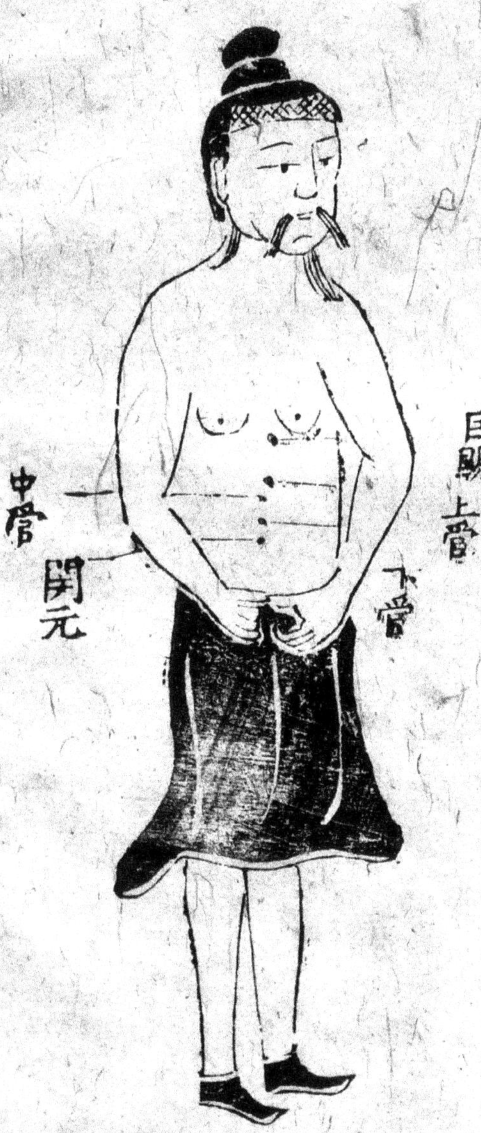

小兒驚風

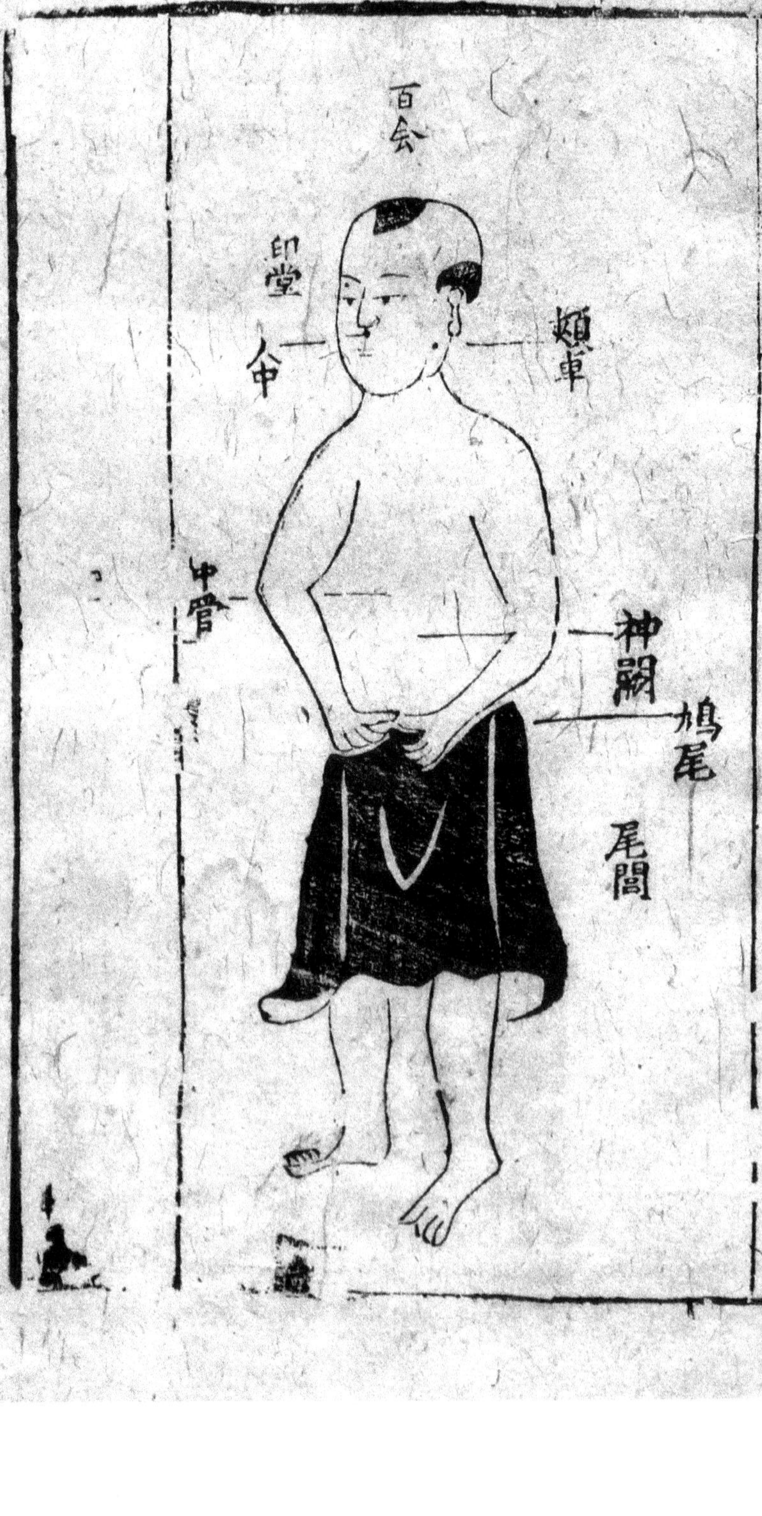

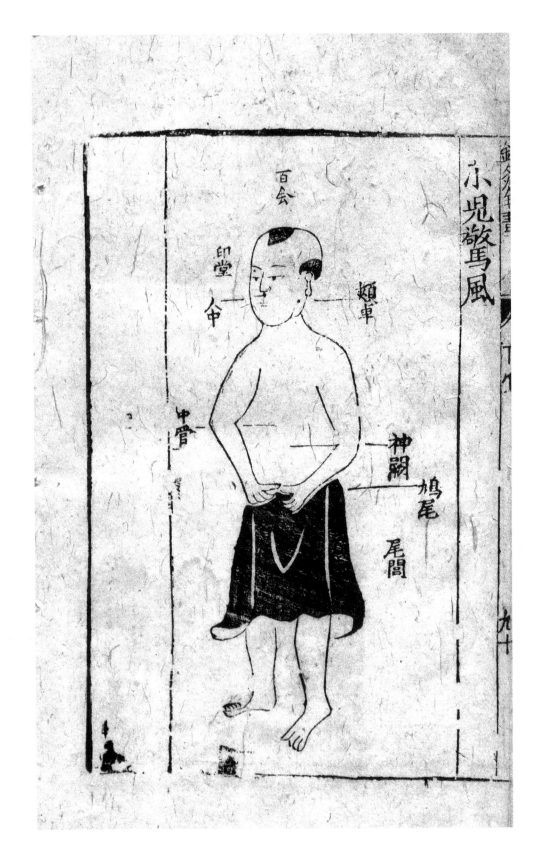

小兒角弓反張

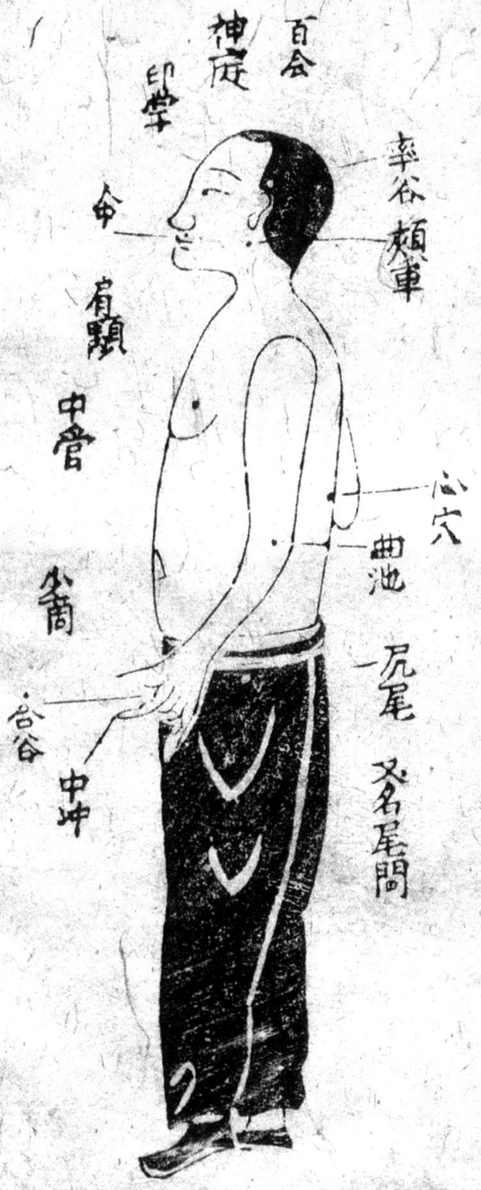

婦人血事不調　孕婦不可針灸

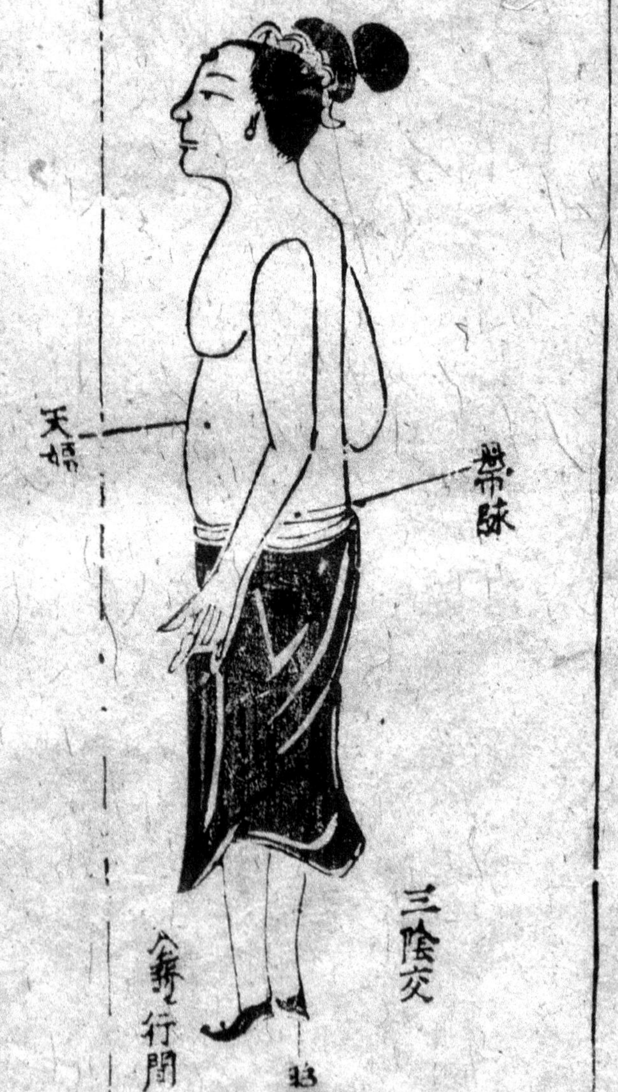

經水斷絕不行

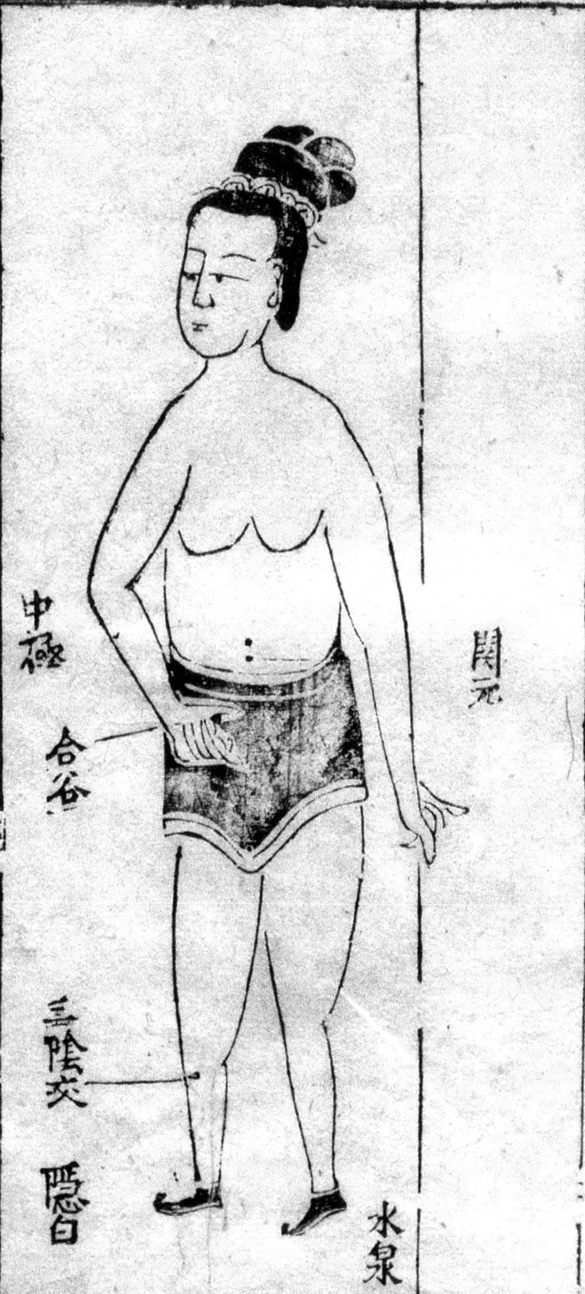

婦人閉経

婦人胎冷無孕

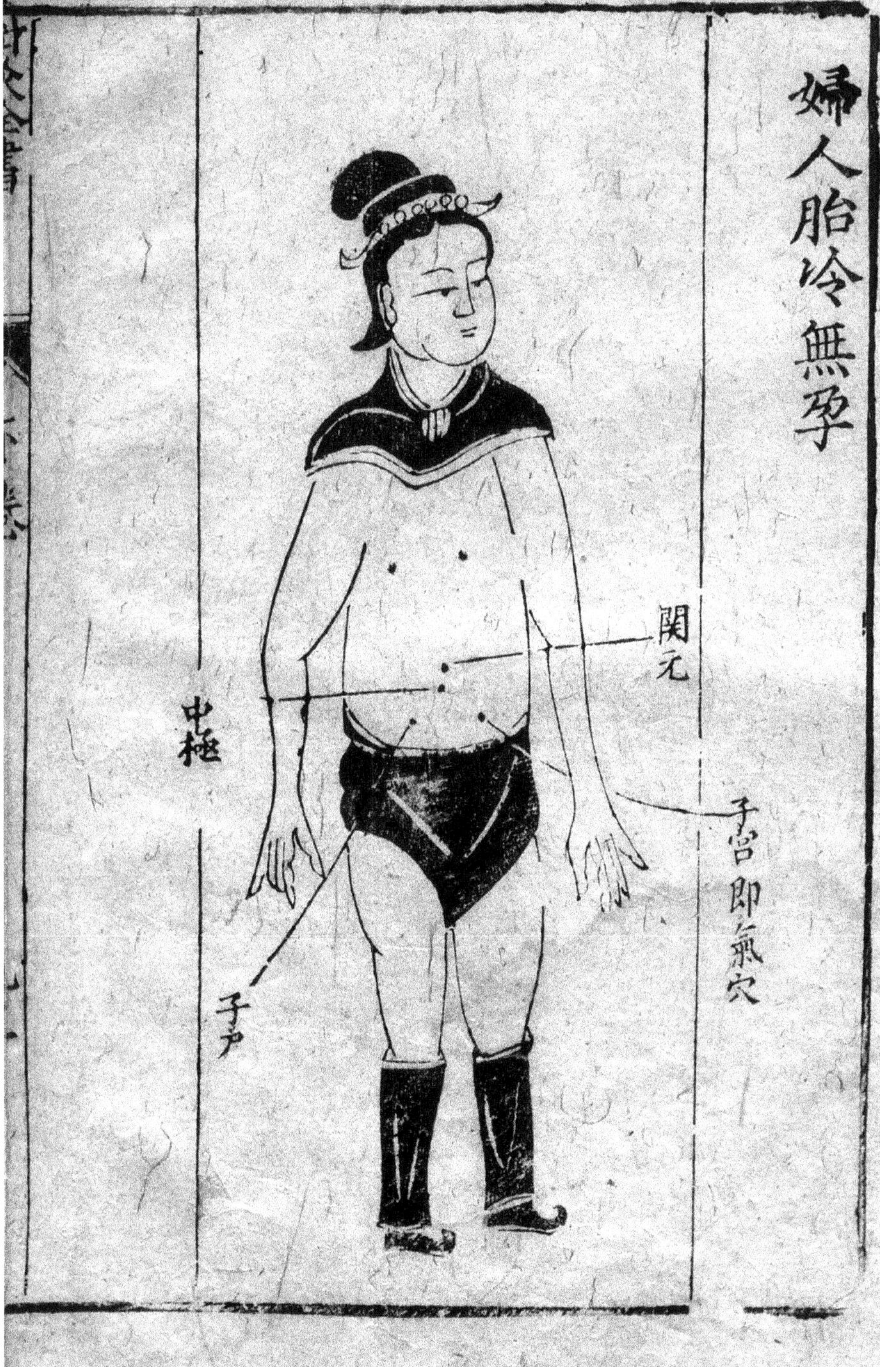

婦人無乳

婦人乳癰腫痛

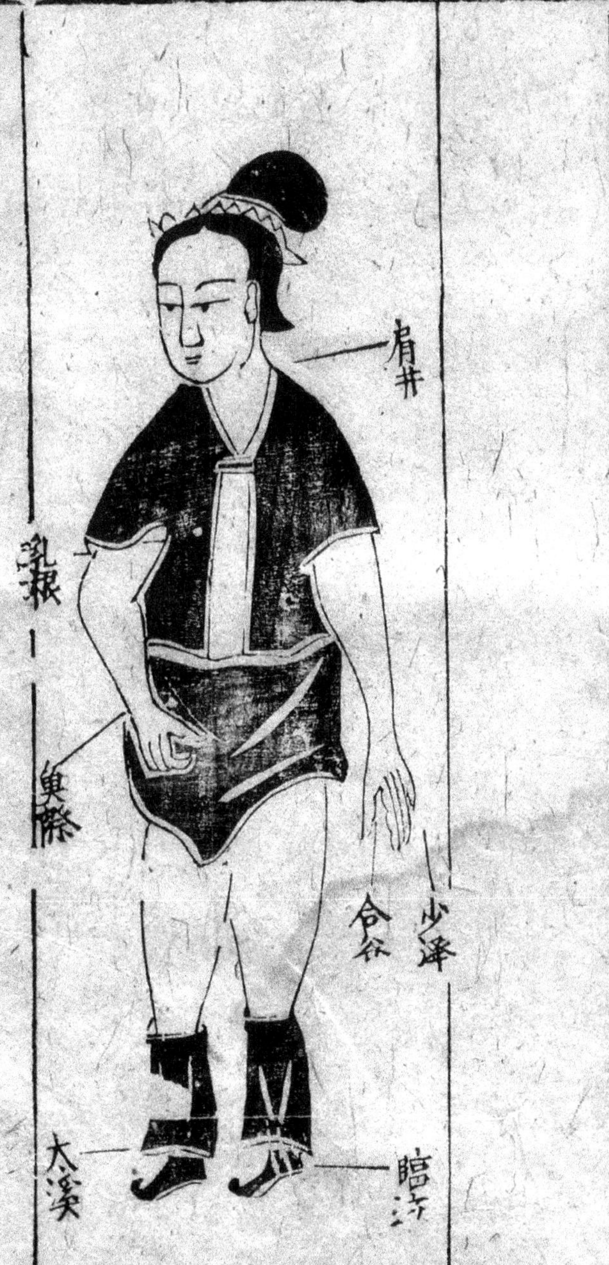

胎衣不下及死胎不出

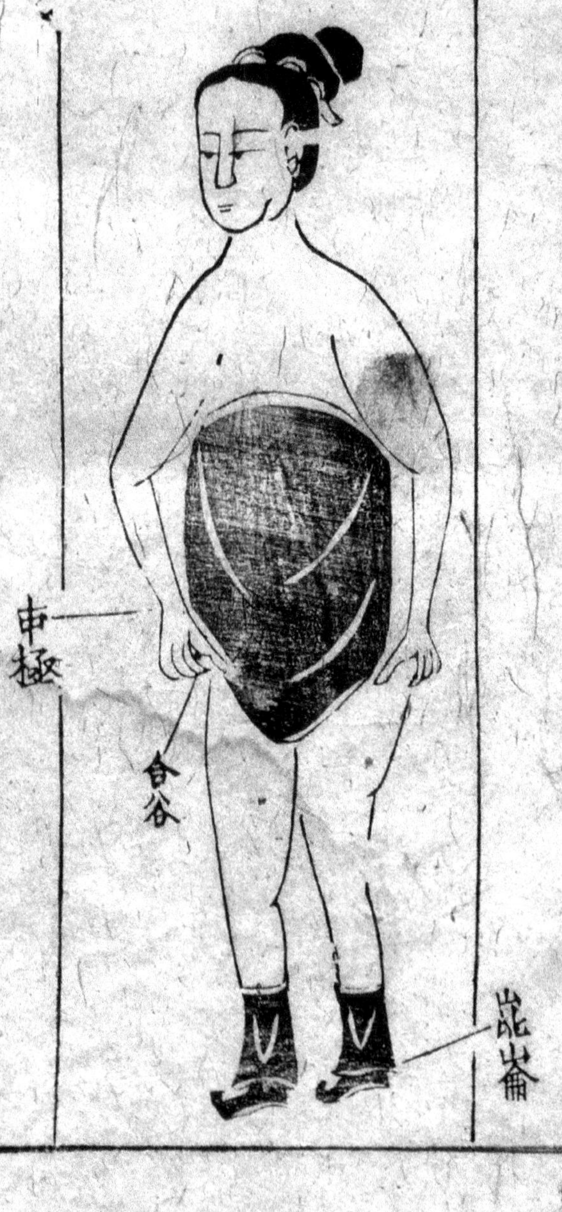

產後惡血不下血塊痛

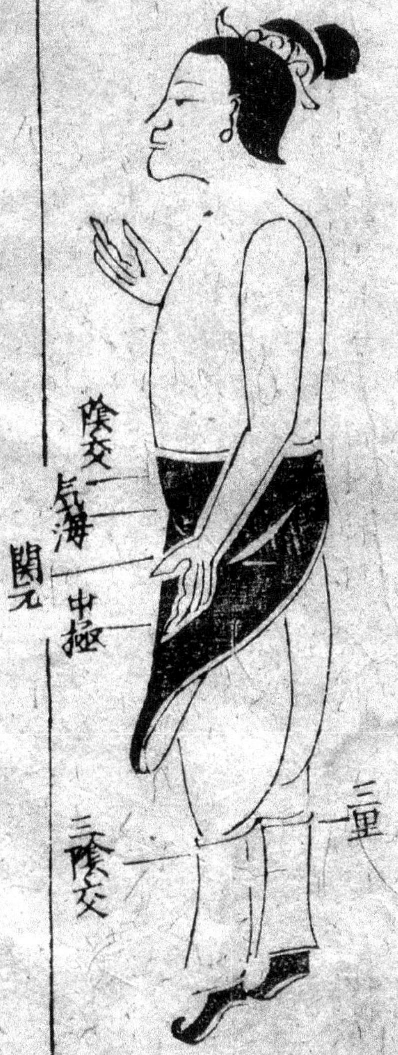

鍼灸全書
血崩漏下
下卷
九五

定取四花穴法

灸骨蒸癆瘵若人初得此疾即便如此法灸之無不効者但醫者多不得真穴以致有悞也今具直格使後學者一見瞭然無悞豈非活人之心哉

先用細繩一條約三四尺以蠟抽之勿令展縮令病人平身正立以繩頭男取左足女取右足從大拇指頭比齊從腳板底踏定引繩至腳跟中心向後直上腳肚貼肉至膝腕肉脊中大橫紋截斷次令患人解髮分開兩邊要見頭縫自顖門平分至腦後乃平身正坐將前截索子一頭從鼻端齊按之引繩向上正循頭縫至腦後貼肉垂下當脊骨引繩向下至蝇

尽處當脊骨以墨点記之（此墨点不是灸穴）別以稻稈心令病人合口將稈心按于口上兩頭至吻却勾起稈心中心至鼻端根下如人中樣齊兩吻截斷將此稈展直於先在脊以墨記之取中橫墨勿令高下於稈心兩頭以墨点記之此是灸穴名曰患門二穴初灸七壯累灸一百壯妙初只灸此二穴以令患人平身正坐稍縮臂膊取一繩遶項向前平結喉骨後至大杼骨俱以点記向前兩垂与尾鳩尾齊即截斷翻繩向後以繩原点結喉墨放大杼上大杼墨放結喉々々放骨中双繩頭齊会処以墨点記（此不是灸穴）別取稈心令其人合口無得動笑橫墨齊兩吻截斷之還于背上墨記処摺

中横量兩頭点之此是穴又將循脊直量上下点之此是灸穴名曰四花初灸七壯累灸至百壯迨瘥愈疾未愈依前法復灸故云累灸至百壯但當脊骨上兩穴切宜少灸一次只可灸三五次多灸恐人蜷背凡灸此六穴亦要足三里以瀉火氣為妙若女人纏帛裹足以至短少則第一次患門穴難以準量但取右手肩髃穴貼肉量至中指為尽亦可不若只取膏肓穴灸之其穴备載于后次灸四花穴亦效予嘗覌人初有此疾即與依法灸之無有不效但恐病根深固依此灸之

此上三穴名曰患門下四穴名四花故曰四花六穴

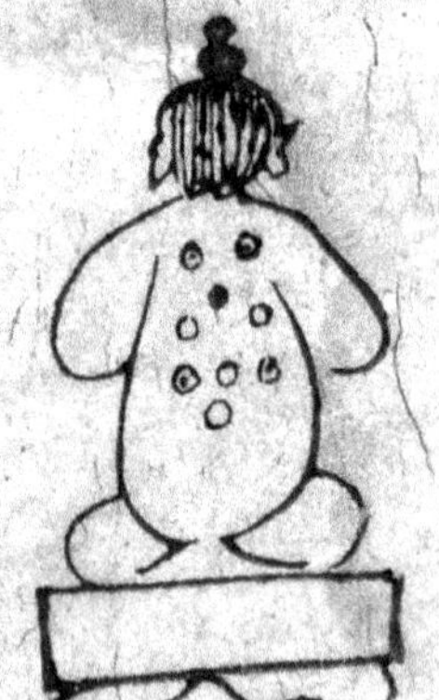

治癰疽騎竹馬灸法　不問男女諸般發背癰疽疥癬並治

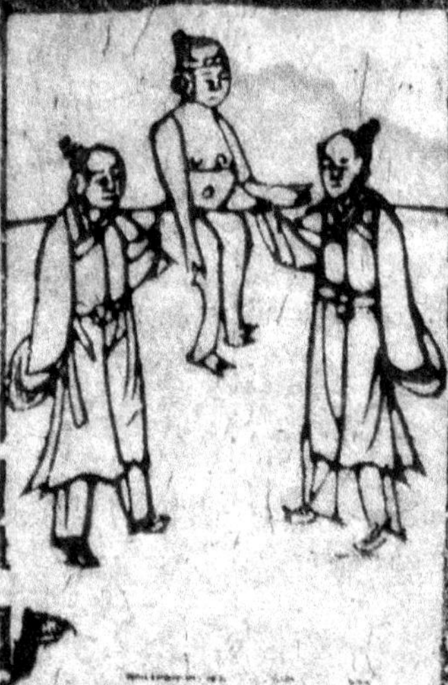

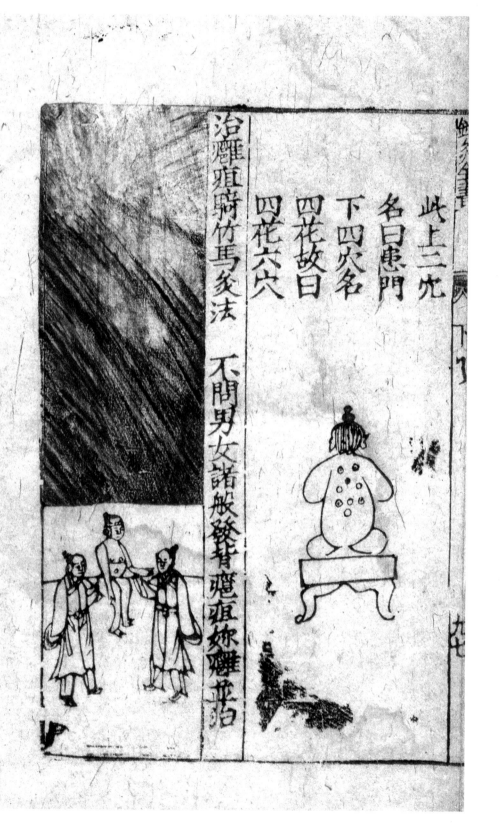

用竹片作圈仔闊二分頓在瘡上將藥填平以艾灸之

第一先從男左女右臂腕中曲横紋起薄篾一條量过中指肉尽処指甲不量剪断

第二以男左女右中指屈中節兩紋頭剪断為一寸此係同身寸法為則

先令病人脫去上下衣服以大竹杠一條跨定兩人隨徐徐杠起足要离地五寸许兩傍更以兩人扶定毋令搖動不穩却以前量長篾貼定竹杠竪起從尾骶骨貼脊量至篾尽処以筆点記不是灸穴却用後取同身寸篾取兩寸平摺自中穴横量邊各一寸方是穴可灸三七壯此二穴専治癰疽悪瘡

發背瘰癧諸風灸之立効

萬曆辛卯仲冬月

書林余碧泉刊行

新鍥秘傳常山敬齋楊先生針灸全書卷之下終

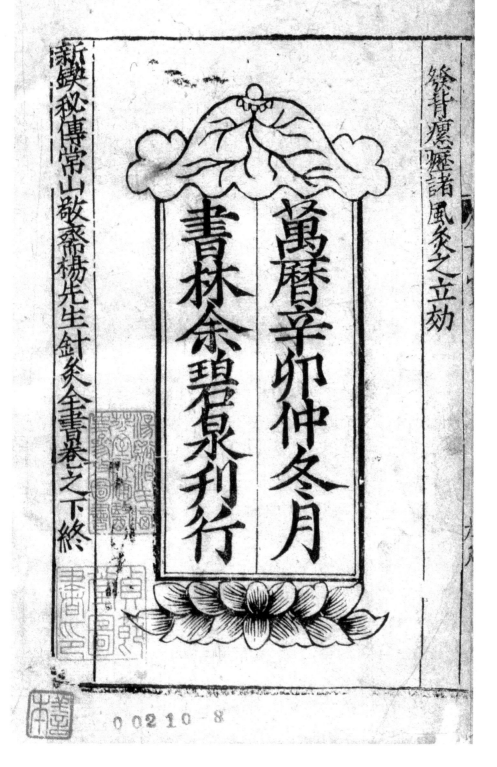